Avocat au barreau de Lyon, André Buffard a plaidé dans quelques-uns des plus grands procès de ces quarante dernières années. Il a défendu le terroriste Carlos, Pierre Chanal (les disparus de Mourmelon), Jean-Claude Romand (dans l'affaire qui a inspiré Emmanuel Carrère pour son roman *L'Adversaire*), mais aussi certains membres d'Action Directe, Alain Carignon et… Éric Cantona. Il a écrit *Le Jeu de la défense* (Points, 2019).

Mort d'un présumé innocent
L'affaire Chanal ou comment se fabriquent les coupables
essai
*Ramsay, 2005*

Le Jeu de la défense
roman
*Plon, 2018*
*et « Points Policiers », n° P5026*

André Buffard

# JEUX DE DAMES

ROMAN

Éditions Filature(s)

TEXTE INTÉGRAL

ISBN 978-2-7578-8756-1

© Éditions Filature(s), 2020

# Prologue

Le dîner tirait à sa fin dans les salons privés de la préfecture.

J'avais dérogé à une règle que je m'étais fixée depuis déjà pas mal de temps : ne plus accepter d'invitation mondaine. De ces repas en ville où j'étais convié uniquement à cause de ma notoriété et pour faire le show. Parler de ces affaires médiatiques dans lesquelles j'avais plaidé, faire frémir les convives en décrivant les crimes les plus abominables, les apitoyer sur le sort de leurs auteurs ou pleurer sur celui des victimes. J'avais passé l'âge de retirer du plaisir à monopoliser l'attention, à être le centre des conversations. Ce métier dans lequel on défend ses semblables ayant commis le pire rend sans illusions sur la nature humaine. Et humble. On ne se découvre ni pire ni meilleur que les autres. Il rend surtout modeste dans la mesure où les défaites sont plus nombreuses que les victoires. Et puis comment expliquer à ceux qui ne l'exercent pas qu'on peut éprouver de la sympathie pour un assassin ou être choqué par l'attitude d'une victime.

Et pour finir, répondre toujours aux mêmes et prévisibles questions. J'en étais là de ma réflexion lorsque j'ai senti que l'épouse du préfet à la droite de laquelle j'étais assis allait me poser celle qui, invariablement, revient au terme de ces agapes. Depuis le début de la soirée elle ne m'avait pas laissé une seconde de répit. S'extasiant sur mes prestations à la télé, insistant sur la liste des criminels à mon palmarès. Elle avait l'air tellement excitée à l'évocation de ma vie professionnelle qu'à plusieurs reprises j'avais cru sentir une pression appuyée de sa cuisse contre la mienne.

– Vous devez avoir une vie passionnante, mais comment gérez-vous tout ça, disons, moralement ?

On y était.

– Vous me pardonnerez, mais je ne peux pas ne pas vous poser cette question que nous nous posons tous : comment faites-vous pour plaider l'innocence de quelqu'un qui vous a dit qu'il était coupable ou que vous savez coupable ?

Bien qu'un peu las, et l'esprit légèrement embrumé par le puligny-montrachet et le château-latour qui avaient accompagné les mets délicieux qu'on nous avait servis, j'ai récité avec conviction mon couplet habituel.

– La question ne se pose jamais en ces termes. Une personne accusée ne vous avoue jamais son crime en vous demandant de plaider l'acquittement.

– Peut-être, mais si vous, vous la pensez coupable, comment faites-vous pour soutenir le contraire ?

J'ai hésité à dire une horreur, du genre « c'est justement ce qui est excitant ! » mais vu la composition de l'assistance je me suis rabattu sur le politiquement correct.

– Je ne me pose jamais cette question de la culpabilité ou de l'innocence, je ne suis pas là pour préjuger celui qui m'a confié sa défense. Je suis là pour le défendre.

J'ai bien senti que je heurtais des bonnes âmes et en particulier l'honorable représentant de l'État qui me faisait face. Elle a insisté.

— Tout de même, bien qu'avocat vous êtes un citoyen comme un autre et vous ne pouvez pas ne pas vous poser la question de la culpabilité de votre client, de sa dangerosité et de l'intérêt de la société ?

J'ai failli lui répondre qu'une personne prise dans les filets de la justice se retrouve dans une telle situation d'infériorité qu'elle a besoin d'être défendue sans états d'âme. Que les enquêteurs peuvent être intellectuellement malhonnêtes, les juges aussi, ou qu'ils peuvent se tromper. J'ai pensé que ce serait trop long et compliqué à expliquer. Je suis allé à l'essentiel.

— Ce problème-là, madame, c'est peut-être présomptueux, mais je le règle seul, avec ma conscience.

Première partie :

# UNE AFFAIRE CLASSÉE

# 1

*Saint-Romain-Lachalm*
*Cinq ans plus tôt*

Les deux voitures se suivaient depuis qu'elles avaient quitté le parking de l'usine à quelques minutes d'intervalle aux alentours de midi. Dans le premier véhicule, Armand Grangeon était impatient de rallier la vieille ferme située à quelques kilomètres de son entreprise. Elle avait appartenu à un vague cousin qui lui en avait cédé l'usage une dizaine d'années plus tôt. Il la tenait lui-même de ses parents décédés. Une dette de jeu l'avait mis dans une situation impossible et il s'en était ouvert à Armand. Le chef d'entreprise lui avait proposé une belle somme en liquide contre la disposition exclusive des lieux. L'affaire avait été rapidement conclue.

Et Grangeon avait vu là l'opportunité de disposer à quelques kilomètres de son lieu de travail d'un endroit discret pour recevoir qui il voudrait. En particulier ses maîtresses. À cette époque, il vivait depuis une dizaine d'années avec Christine.

Il lui devait beaucoup à Christine. Elle avait investi toutes ses économies pour lui permettre de racheter une petite entreprise de plastique qu'il avait ensuite fait fructifier. Elle était très amoureuse de lui, mais lui aimait trop les femmes pour ne se consacrer qu'à elle. Toutes les femmes. Il se demandait parfois pourquoi il était atteint de cette boulimie. Car, à de très rares exceptions près, c'était surtout le sexe qui l'obsédait. Sous toutes ses formes. Il ne savait même plus s'il en retirait du plaisir. Il avait un besoin vital de se retrouver seul avec l'une d'entre elles pour tenter d'obtenir une excitation qu'il espérait exceptionnelle. Il était presque toujours déçu. Il n'était pas trop regardant pour essayer de trouver celle qui le ferait parvenir à l'extase et la petite ferme était devenue son lieu de débauche. La seule qui lui donnait un plaisir un peu plus violent c'était Sabrina. Quand il avait repris la boîte de fabrication de films plastiques il lui avait demandé de le suivre dans son projet, elle qui avait travaillé avec lui dans son job précédent et qui était sa maîtresse depuis toujours. Elle avait accepté. Docilement.

En y réfléchissant, c'est ce qui l'excitait le plus sa docilité.

Il pouvait lui demander n'importe quoi, les trucs les plus tordus qui lui passaient par la tête, elle s'exécutait.

Et puis il avait rencontré Dolorès. Une femme belle, intelligente qui tranchait avec toutes celles qu'il côtoyait habituellement. Pour la première fois de sa vie, il était véritablement tombé amoureux. Ce sentiment avait tout renversé : celle-ci, il la voulait, mais pour vivre avec elle, sortir avec elle, l'exhiber à ses côtés. Comme un trophée.

Il avait littéralement « répudié » Christine, sans ménagement et sans états d'âme. Elle avait eu une réaction violente. Elle l'avait haï, menacé, frappé même, mais ça n'avait rien changé. Il avait épousé Dolorès mais très vite ressenti le même sentiment de frustration sur le plan sexuel. Alors il continuait à rechercher avec Sabrina ce qu'il ne trouverait sans doute jamais totalement. Le seul problème avec elle c'est qu'il allait être obligé de prendre des décisions qui risquaient de la contrarier. Il allait falloir la jouer fine pour ne pas la perdre totalement. Mais, en attendant, il commençait à se concentrer sur ce qu'il allait lui demander, dans quelques minutes. Une vague de fièvre fit monter son désir.

# 2

Dans sa vieille Opel Corsa, Sabrina avait du mal à réprimer ses tremblements. Et pourtant, la décision était prise, mûrement réfléchie, elle n'était plus la seule concernée et il allait falloir aller jusqu'au bout. Sur le siège passager, dans son petit sac à main, elle avait vérifié que l'arme était bien chargée.

Elle l'avait récupérée dans la vitrine où son mari, avec qui elle ne partageait plus grand-chose, exposait les quelques armes anciennes qu'il collectionnait. Il s'agissait d'un pistolet à barillet de la fin du XIX$^e$ siècle qu'il entretenait avec amour. Elle lui avait demandé la semaine précédente, innocemment, comment il fonctionnait. Elle avait tout compris et récupéré les munitions dans une boîte en bois où il les remisait au fond d'un tiroir. Il s'était étonné de son intérêt inhabituel pour ses armes, elle qui disait détester ça. Du coup, il lui avait même proposé d'aller faire un peu de tir à la campagne si ça la tentait. C'est à cette occasion qu'ils avaient beaucoup discuté, eux qui ne se parlaient plus beaucoup. Il faudrait bien la remettre exactement où elle l'avait prise, se dit-elle.

Elle ralentit un peu pour laisser prendre un peu d'avance au gros 4 × 4 de son amant. Et s'assurer juste avant d'arriver dans la cour de la ferme qu'un véhicule était bien garé, à l'abri d'un bosquet, dans le chemin de terre qui conduisait au champ de tournesol voisin. Elle prit sa respiration, s'empara de son sac, verrouilla instinctivement sa voiture et prit la direction de la porte d'entrée qu'Armand Grangeon, déjà arrivé, avait laissée ouverte à son intention.

## 3

Les lieux étaient sommairement meublés. On y péné-
trait par une petite cuisine, vieillotte, dans laquelle la
jeune femme avait installé quelques équipements d'élec-
troménager pour pouvoir se servir un café ou se faire
chauffer des plats préparés quand ils se retrouvaient
pour le déjeuner. Un couloir étroit et sombre conduisait
à ce qui avait dû être la pièce à vivre. Subsistait une
grande cheminée devenue sans doute inutilisable. Le
chauffage était assuré par un gros radiateur électrique,
un canapé et un grand lit remplissaient seuls les lieux.
À peine entrée, elle avait vu Armand s'y rendre. Elle
le rejoignit. Il était assis sur le canapé et elle nota tout
de suite qu'il avait ce regard trouble et les joues rouges
comme chaque fois qu'il était excité et « avait besoin
de sa dose », pensa-t-elle.

– Viens ici, salope.

Lui qui était plutôt timide et bien élevé dans la vie
de tous les jours devenait facilement ordurier quand il
avait envie de sexe. Sabrina savait que ça participait
sans doute de son excitation. Elle s'avança, obéissante.

– Tu as fait ce que je t'ai demandé ?

Elle lui sourit et passa sa langue sur ses lèvres. Elle
savait que ça le surexcitait.

– Évidemment, fit-elle, en déboutonnant lascivement sa tunique et en libérant un de ses seins.

Il exigeait souvent d'elle qu'elle ne porte pas de soutien-gorge, y compris au travail pour pouvoir frôler sa poitrine et, quand ils étaient seuls, lui caresser les seins, les malaxer, sans un mot. Elle s'avança vers lui.

– Mets-toi à genoux.

Elle s'exécuta. Il ouvrit violemment le haut qu'elle portait et se mit à la peloter, s'arrêtant sur ses tétons qu'il excitait et tordait pour les rendre durs. Sabrina poussa un gémissement. De douleur. Elle remarqua ses yeux. « Des yeux de détraqué », pensa-t-elle, sans indulgence.

– Tu aimes ça, petite chienne ?

Elle connaissait parfaitement son rituel et ce qui allait suivre. Il détachait fébrilement sa ceinture, faisait glisser son pantalon, libérait son sexe et perdait totalement tout contrôle.

– Suce-moi, salope. Suce-moi !

L'avantage, c'est que ça ne durait pas longtemps et qu'il était tellement excité qu'il explosait très vite dans sa bouche. Elle qui avait tellement attendu et aimé ces moments-là quand elle était encore amoureuse de lui, n'y trouvait plus aucun plaisir.

« Décidément, le plaisir du sexe ça marche vraiment avec la tête », pensa-t-elle, se détournant pour qu'il ne voie pas le dégoût qu'elle éprouvait tandis qu'il réajustait ses vêtements. Mais une vague de panique la submergea. Maintenant il allait falloir faire ce qu'elle avait décidé de faire et dit qu'elle ferait. Elle n'eut pas le temps de réfléchir au scénario prévu. Le portable d'Armand Grangeon sonna et il décrocha presque aussitôt. La communication passait mal car les ondes ne devaient pas arriver à franchir les murs épais de la vieille bâtisse. Il se leva, expliqua à son interlocuteur

19

qu'il ne l'entendait pas bien et qu'il allait le rappeler aussitôt. Sans même lui jeter un regard, il se dirigea vers le couloir conduisant à la cuisine, sans doute dans l'intention de sortir de la ferme pour récupérer le réseau. Il en était à son milieu lorsqu'il entendit un bruit sourd et ressentit un choc qui le projeta vers l'avant. Il s'appuya contre le mur en même temps qu'il ressentait comme une brûlure au niveau du dos. Il se retourna comme pour rechercher l'aide de Sabrina qui devait être derrière lui. Ce qu'il vit le laissa hébété, incrédule.

Sa maîtresse était à quelques mètres de lui, les jambes légèrement écartées comme le sont les tireurs dans un stand et tenait des deux mains, brandi devant elle, ce qu'il reconnut comme un revolver à barillet. Son esprit se mit à travailler à une vitesse folle pour essayer de comprendre ce qui était en train de se passer. « Mon Dieu, elle vient de tirer sur moi ! » Il croisa son regard, vide. Sa jolie bouche était tordue par un étrange rictus.

– Pourquoi ?

Il tendit les bras vers elle, mi-suppliant, mi-sidéré. Ce furent ses derniers mots. Dans la même fraction de seconde, il vit la flamme sortir du canon, entendit le bruit de la détonation et ressentit le choc, cette fois à la tête, qui le fit tomber en arrière.

# 4

Sabrina ne bougeait pas. Tétanisée. L'odeur de la poudre lui piquait la gorge. Bien qu'elle ait imaginé cent fois cet instant, elle n'arrivait pas à y croire. Sa vie venait de basculer. Elle venait de tuer. Elle venait d'abattre un homme qu'elle avait aimé, avec qui elle avait partagé des moments de complicité uniques. Mais elle l'avait fait parce qu'il n'y avait pas d'autre solution. Parce que c'était devenu vital pour elle. Elle entendit comme dans un rêve le bruit des pneus de la voiture sur les graviers, se garant devant la porte de la cuisine. Dans la minute suivante, alors qu'elle était encore sous le choc, elle vit la silhouette se profiler à l'autre bout du couloir. Et se pencher sur le corps allongé.

– J'ai entendu les détonations. Tu l'as fait ? C'est bien.

La jeune femme restait sans réaction.

– Oh ! Secoue-toi, il n'a eu que ce qu'il méritait. Allez, viens m'aider, maintenant on fait ce qu'on a dit.

Sabrina s'approcha mais à cet instant, résonna un gémissement, une sorte de râle. Elle recula, horrifiée.

– Putain, il n'est pas mort !

Il y eut un silence terrible. Elle se dit que tout était foutu. Qu'il allait survivre, qu'elle était perdue. Elle regardait l'arme dans sa main. Elle n'eut pas le temps de réfléchir longtemps.

L'autre s'en empara.

– Laisse. Je vais le faire.

Le corps était allongé sur le ventre. Dans la semi-obscurité, elle aperçut le canon du revolver à quelques centimètres de la nuque. Quand le coup de feu retentit, elle eut l'impression que c'était son propre crâne qui explosait.

Deuxième partie :

JEUX DE DAMES...

# 5

Le problème avec ces sonneries d'IPhone, c'est qu'elles sont universelles. Vous êtes dans un lieu public, n'importe où sur la planète et lorsque résonne « Timba » ou « Marimba » tout le monde cherche fébrilement son portable pour vérifier qui appelle. Pour échapper au commun des mortels, j'en ai programmé une plus originale.

C'est donc par « Blues » que j'ai été tiré du sommeil ce jour-là. Vers 6 h 30, l'heure de départ des mises en garde à vue du petit matin.

Depuis des années le portable est devenu un véritable prolongement de moi-même. J'y ai enregistré évidemment mon agenda, tous mes contacts, ma musique préférée, mes photos, et des dizaines d'applications toutes plus inutiles les unes que les autres. Je vérifie en permanence l'évolution de l'état du monde, la météo, les derniers échos de *L'Équipe*, et je me surprends à consulter Flightradar 24 quand je suis insomniaque pour m'assurer que le Johannesburg- Londres n'aura pas de retard à Heathrow. C'est surtout le lien permanent, contraignant mais rassurant, avec mon cabinet.

Je sais qu'au moindre événement important, ma fidèle Dolorès, mon assistante, me joindra.

Et puis, depuis que les avocats interviennent en garde à vue, c'est l'assurance de pouvoir être contacté par les services de gendarmerie et de police à toute heure du jour et de la nuit.

Et comme il leur arrive fréquemment de débarquer à 6 heures du matin, l'heure légale à partir de laquelle ils peuvent se rendre au domicile d'un suspect, le temps de lui notifier ses droits dont celui de faire appel à un avocat, c'est vers 6 h 30 qu'ils réveillent l'heureux élu. Avec l'espoir qu'il ne soit pas joignable si tôt, et donc la possibilité de convaincre leur « client » qu'il pourrait accepter de répondre à leurs questions sans avocat ou alors assisté d'un avocat « de permanence », souvent plus indifférent, moins combatif. Pour éviter cette petite manœuvre, j'ai diffusé mon numéro de portable à la terre (judiciaire…) entière, et à tous mes clients recensés, ou susceptibles de le devenir. Et mon téléphone est toujours à la charge sur ma table de nuit, où que je dorme.

Dans un semi-coma (je m'étais couché tard et j'avais mal dormi) j'ai rampé au jugé jusqu'à l'endroit où résonnait la sonnerie. À peine avais-je décroché qu'une voix forte et très officielle m'interpellait :

– Maître Lucas ? Commandant Yves Perret de la Police judiciaire de Clermont-Ferrand. Nous agissons dans le cadre d'une commission rogatoire d'une juge d'instruction de chez nous, Mme Jeanne Labats, et venons de mettre en garde à vue à compter de 6 h 15 une personne qui demande votre assistance. Nous sommes en train de procéder à une perquisition à son domicile à Lyon et serons dans les locaux de l'hôtel de police à Marius-Berliet pour un premier interrogatoire, disons vers 9 h 30. Pouvez-vous vous rendre disponible ?

Je lui ai posé, d'un ton innocent, la question habituelle pour m'assurer que c'était une affaire intéressante qui justifie que je me déplace en personne :

– De quoi s'agit-il ?

– Complicité d'assassinat.

Mon instinct professionnel s'est tout de suite réveillé. Qui dit assassinat dit affaire criminelle, et donc sans doute un beau dossier. Et probablement à la clé des honoraires conséquents. J'ai posé presque machinalement la deuxième question :

– Comment s'appelle celui qui me désigne ?

Il y a eu un blanc, mon interlocuteur jouissant visiblement de ménager le suspens :

– « Celui » qui vous désigne est une femme, et je crois que vous la connaissez personnellement. Il s'agit de Mme Dolorès Grangeon.

Je me suis redressé sur mon lit comme si j'avais été piqué par une mygale.

– Qui ?

– Mme Grangeon qui, je crois, est votre assistante.

# 6

Dolorès en garde à vue pour tentative d'assassinat, j'ai mis quelques minutes à digérer l'information. Le temps de filer sous ma douche, et de calculer si j'aurais le temps de passer par le cabinet pour organiser une journée qui allait être bouleversée par l'absence de celle qui était mon véritable bras droit. Mais déjà j'envisageais une foule d'hypothèses plus saugrenues les unes que les autres. Une, même si elle apparaissait invraisemblable, s'imposa très vite dans mon esprit : et si cette interpellation était liée à l'assassinat de son mari à l'occasion duquel nous nous étions connus ? Les faits remontaient à environ cinq ans en arrière. Son mari, un industriel reconnu dans la filière du plastique et dans l'entreprise duquel elle travaillait comme DRH, avait brusquement disparu. L'affaire avait défrayé la chronique.

Des promeneurs avaient retrouvé le corps caché sous des branchages, dans une forêt, à quelques kilomètres du siège de la boîte, une semaine après sa disparition. Le cadavre présentait plusieurs impacts de balles. L'enquête avait été rondement menée et les soupçons s'étaient portés sur sa secrétaire. Elle était sa maîtresse depuis des années et vivait mal d'être négligée par un amant qui collectionnait les aventures et, qui, petit à petit, la mettait à l'écart professionnellement. Elle avait reconnu les faits, sans difficulté. Elle avait expliqué avoir perdu la tête alors qu'elle était en plein burn-out, l'avoir attiré dans un de ces rendez-vous à la campagne où ils se retrouvaient pour une relation sexuelle, et l'avoir abattu avec un revolver qu'elle avait récupéré dans la collection d'armes de son mari. Personne n'avait, à l'époque, cherché plus loin. On avait des aveux, un mobile, une coupable parfaitement convenable. Elle pleurait beaucoup, regrettait terriblement et des experts psychologues étaient venus savamment confirmer que la surcharge de travail dont elle avait été accablée et la peur de perdre son emploi avaient pu lui brouiller l'esprit. S'ajoutait à cela le sentiment qu'elle avait pu ressentir de n'être qu'un objet sexuel aux mains de son patron. Personne ne l'avait enfoncée. À l'époque, Dolorès m'avait consulté alors que le corps de son mari n'avait pas encore été retrouvé. Les enquêteurs, après avoir envisagé une simple fugue, avaient fini par privilégier la piste criminelle. Ils l'avaient donc longuement interrogé. Leur couple battait de l'aile du fait des infidélités répétées de Grangeon. De nombreuses scènes, parfois violentes, les avaient opposés, y compris sur leur lieu de travail. Elle avait été soupçonnée, comme l'ancienne compagne de son mari dont il s'était séparé dans des conditions houleuses. D'autres pistes avaient été évoquées mais vite abandonnées du fait de la découverte du corps et des aveux de sa collaboratrice. Dolorès Grangeon m'avait demandé de me constituer partie civile en son nom dans la procédure qui s'était ensuivie. Mon assistante « historique » ayant pris sa retraite à cette époque et compte tenu des qualités que j'avais décelées chez elle, je lui avais proposé le poste. Je ne l'avais jamais regretté tant elle m'était devenue indispensable dans tous les domaines.

Au moment du procès, elle m'avait demandé d'être une partie civile « nuancée ». Elle avait eu des rapports amicaux avec l'accusée et comprenait son geste. Au terme de trois jours d'audience, la peine avait été mesurée, et Sabrina Lassale condamnée à quinze ans de réclusion criminelle.

L'affaire était pourtant revenue sur le devant de l'actualité quelques mois avant ce petit matin de novembre : Sabrina était morte en détention, au centre pénitentiaire de Corbas où elle avait commencé à purger sa peine, dans des conditions étonnantes. Sa compagne de cellule l'avait trouvée un matin, au réveil, inanimée. Elle décédait à son arrivée aux urgences où elle avait été transportée. L'enquête avait conclu à un empoisonnement et donc, vraisemblablement à un suicide. J'avais un peu suivi ces derniers développements car ma collaboratrice, Claire Dalbret, était justement l'avocate de la jeune femme partageant sa cellule. Celle-ci, d'origine albanaise, y était en détention préventive pour avoir assassiné sa compagne qu'elle soupçonnait de la tromper. Elle l'avait étranglée après l'avoir droguée. La question de savoir comment Sabrina avait pu se procurer le poison était naturellement au cœur de l'enquête et j'avais cru comprendre à travers quelques conversations avec Claire que les enquêteurs n'excluaient pas que sa propre cliente ait pu y être pour quelque chose. Mais, repris par la spirale infernale du quotidien du métier je m'étais focalisé sur mes affaires en cours et étais passé à autre chose.

Alors que je fouillais dans mon dressing pour décider comment m'habiller (étant un rien maniaque, ça me prend toujours un peu de temps), je me remémorai la façon dont Dolorès avait réagi à ces derniers événements. Choquée. Elle m'avait paru très choquée même. J'avais attribué ça aux souvenirs douloureux que ça avait dû réveiller. Mais, en y réfléchissant bien, sa réaction m'avait surpris, même si je n'avais pas osé lui en parler.

# 7

Pourquoi cette affaire jugée rebondirait-elle des années plus tard ? Qu'est-ce que Dolorès viendrait faire dans cette histoire ? Je me décidai finalement pour un jean Trussardi, une chemise bleue Ralph Lauren, une veste Zegna bleu marine et une paire de Santoni grise. Tout ça me parut parfait pour une journée de fin d'automne qui s'annonçait plutôt belle malgré le vent qui avait soufflé toute la nuit et m'avait réveillé à plusieurs reprises.

Après avoir rempli de croquettes la mangeoire de Johnny, le sacré de Birmanie qui partage ma vie, m'être fait couler un Nespresso voluto que j'ai bu à la va-vite, j'ai foncé à mon bureau de la rue Servient pour m'organiser et récupérer à toutes fins utiles le dossier « Grangeon c/ Lassale », qui devait être aux archives.

La circulation était fluide et j'ai mis à peine une trentaine de minutes pour y parvenir. Première mauvaise surprise : le désordre régnant sur mon bureau. Moi qui adore qu'il soit parfaitement rangé, pas surchargé de dossiers, il y en avait de partout. Il faut dire que la veille j'avais reçu des clients jusqu'à 22 heures et que je n'avais pas eu le courage de remettre de l'ordre avant de rentrer chez moi. Comme d'habitude, Dolorès m'avait sorti les dossiers correspondant aux rendez-vous et pour chacun j'avais rempli un compte-rendu d'entretien avec les actes à accomplir. Les soirs où j'en ai encore le courage, je dicte tout de suite les courriers qui s'imposent, je dépose des fiches pour ma collaboratrice quant aux démarches à effectuer au palais et je liste sur mon agenda ce que je me réserve comme tâches. Sinon, c'est le premier labeur du lendemain. Au milieu des dossiers, des documents remis par les clients, des notes à reclasser. C'est plus compliqué, mais il y a des soirs où après avoir « ingurgité » pendant des heures des récits tordus relevant de toute la palette de la détresse humaine, on aspire à tout laisser en plan et à vite aller décompresser avec un bon whisky. Ou deux. Le monde apparaît alors plus beau, en tout cas moins sinistre. C'est la décision que j'avais prise la veille au soir. Je me suis souvenu que Dolorès était partie vers 21 heures. Je l'avais « libérée » avant de recevoir mon dernier rendez-vous. Les deux types qui voulaient me voir pour que j'assure la défense d'un de leurs « potes » qui s'était fait serrer pour une histoire de stups avaient une mine patibulaire. Elle avait insisté pour rester mais je l'avais rassurée et elle était rentrée chez elle.

Deuxième mauvaise surprise, j'avais complètement oublié que j'avais envoyé l'avocate qui me secondait, Claire Dalbret, plaider un dossier à Strasbourg et que je ne pourrais pas compter sur elle pour assurer la permanence au bureau et éventuellement me remplacer pendant mon absence. La seule façon de m'en sortir serait de demander à l'élève-avocat qui était en stage au cabinet de prendre le téléphone et de gérer au mieux les appels. J'entrepris de retrouver son numéro de téléphone et après avoir mis la main dessus, je l'invitai à venir me prêter main-forte dans les meilleurs délais. Alors que je craignais que cette perspective le panique, il me répondit, enthousiaste, qu'il arrivait de suite.

Restait, en attendant, à mettre la main sur le dossier « Grangeon » qui avait dû être archivé. Ces dossiers-là sont classés dans de grandes armoires métalliques, année par année, dans une remise attenante à mon bureau et sont répertoriés pour qu'on puisse y avoir accès en cas de besoin. Je retrouvai facilement le répertoire et passais dans la pièce réservée aux archives. Chaque affaire étant soigneusement rangée dans un carton numéroté, je trouvais sans difficulté le numéro « 2357 », classé à sa place. En le tirant de son rayon, j'ai tout de suite été surpris par sa légèreté alors qu'il aurait dû contenir, vu l'importance de l'affaire, de très nombreux feuillets. Je l'ai ouvert fébrilement et découvert qu'il était pratiquement vide. Mon rythme cardiaque s'est soudain accéléré. Qu'était devenu le dossier ?

Je n'ai pas eu à me poser trop longtemps la question. La pièce comprend également une petite table et un fauteuil confortable pour pouvoir étudier plus facilement les éléments d'une histoire ancienne. Sur celle-ci, encore ouvert, se trouvait le dossier « Grangeon ». Les cotes étaient en désordre et déclassées, comme si quelqu'un l'avait consulté, y avait cherché des informations ou des pièces, avait été dérangé et avait tout laissé en plan. Qui avait pu faire ça sans mon autorisation ? En revanche, le CD-rom de la procédure était toujours agrafé à la couverture cartonnée.

Je n'ai pas cherché à me poser trop de questions, j'ai pris toutes les pièces, les ai enfournées dans une sacoche et ai pris le chemin de l'hôtel de police.

# 8

À peine au volant de ma voiture, je me suis branché sur Europe 1 pour écouter les imitations désopilantes de Canteloup qui, tous les matins, me dérident avant de passer aux choses sérieuses. Comme il venait de finir, déçu, je suis passé sur France Info pour prendre connaissance des dernières nouvelles. L'une d'entre elles a provoqué le troisième choc de la journée : une dépêche AFP annonçait le décès dans des conditions indéterminées d'un agent de joueurs de football très connu, Nicolas Ivanovitch. Son corps avait été retrouvé dans une chambre d'hôtel de la région lyonnaise et les causes de la mort n'étaient pas connues.

Ivanovitch avait été un client, presque un ami, quelques années plus tôt. À une époque où je passais beaucoup de temps à négocier des contrats pour des joueurs professionnels ou pour des clubs, j'étais souvent intervenu à ses côtés. Nous avions partagé des jours et même des nuits de négociations aux quatre coins de la planète et effectué ensemble des voyages homériques. Nous ne nous étions pas revus depuis quelques années. La soixantaine, il avait eu un problème cardiaque et ayant amassé beaucoup d'argent, pris un peu de recul avec le milieu. Il m'avait expliqué travailler désormais avec sa fille et s'était plus ou moins retiré, dans mes souvenirs, près de Cannes où il avait une propriété. Il m'avait pourtant laissé un message quelques semaines plus tôt en me demandant de le rappeler pour une affaire importante. J'avais oublié de le faire. À l'annonce de cette nouvelle, je me suis promis de téléphoner à sa fille, dès la fin de l'audition de Dolorès.

Comme d'habitude, trouver une place de parking près de l'hôtel de police s'avéra tâche quasi impossible. Après trois ou quatre passages dans les rues adjacentes, je me suis garé sur le trottoir, à côté de l'arrêt de bus, presque en face de l'entrée principale.

À peine descendu de ma BMW, je me suis senti soudain oppressé. J'appréhendais de me retrouver avec Dolorès et surtout de découvrir dans quelle histoire elle pouvait se retrouver mêlée. J'ai pris ma respiration, franchi les étapes qui conduisent jusqu'au poste de garde où j'étais attendu pour l'entretien préalable à la première audition. Puis, j'ai gagné la cellule qui m'était affectée, confié ma sacoche et mon téléphone à une policière qui l'a remisé dans une petite armoire. Et j'ai attendu celle qui était désormais ma cliente. Fébrile.

# 9

On m'a fait attendre presque une demi-heure. Sans surprise, ni révolte parce que c'est le lot quotidien de l'avocat : attendre son tour pour passer à l'audience, attendre devant le bureau du juge d'instruction, attendre pour voir son client à la maison d'arrêt, attendre que les policiers veuillent bien commencer leur audition. Sans qu'aucun de vos interlocuteurs ne s'excuse jamais. Ils sont tous tellement occupés, eux. Tandis que l'avocat, lui, doit être toujours à l'heure. Sous peine de s'attirer les foudres des mêmes. « On vous a attendu, Maître… vous croyez qu'on a que ça à faire… » Une fois qu'on a intégré cette horloge du temps à deux vitesses, on finit par s'y soumettre, sans trop râler. Ça ne sert à rien.

J'étais donc ressorti de la cellule en faisant les cent pas, pour me calmer.

C'est d'abord le policier qui l'accompagnait que j'ai eu dans mon champ de vision : je l'ai trouvé très grand, cheveux blonds, assez longs, un regard bleu dont la dureté m'a tout de suite frappé. Mal rasé, sans doute pour se donner un côté baroudeur, vêtu comme un flic de série télé : tee-shirt moulant mettant en valeur une musculature qu'on devinait impressionnante, sous un blouson en cuir chic mais suffisamment usé pour montrer qu'il avait dû bourlinguer, jean et bottines.

De marque, les chaussures. Du coup, Dolorès m'est apparue petite, fragile, comme un animal effrayé. Mon expérience m'a appris que dès qu'ils sont pris dans la nasse les êtres changent. Même physiquement. Quand on est entre les mains des services de police ou de gendarmerie, on se sent tout petit, on réalise que son destin est entre leurs mains et que sa vie risque de basculer. Et puis, l'interpellation au petit matin laisse des traces : on ne vous laisse pas prendre une douche, vous préparer longuement.

Dolorès avait dû passer à la va-vite un vieux jeans, un tee-shirt et un petit blouson et, bien sûr, ne s'était pas maquillée. Elle, toujours bien habillée, soignée, m'est apparue négligée et je n'ai pas reconnu ses yeux que ne soulignait aucun maquillage. Ses paupières battaient très vite, son regard d'habitude si franc fuyait le mien. J'ai compris à cet instant que la situation était grave. Impression aussitôt confortée par le fait qu'elle était menottée, ce qui est la procédure habituelle mais pas forcément l'usage à l'intérieur des locaux de police et s'agissant d'une femme. Il l'a désentravée, sans ménagement.

Le policier m'a adressé un sourire forcé et s'est présenté, sans me tendre la main.

– Commandant Perret de la PJ de Clermont-Ferrand. Nous nous sommes parlé ce matin. Je vous laisse avec votre cliente, vous me faites appeler quand vous avez terminé et je reviens vous chercher.

– Merci. Je peux vous voir deux minutes ?

Il a fait mine d'hésiter. Puis a désigné la porte de la cellule à Dolorès.

– Vous entrez là. Oui, maître, je vous écoute.

Dans ce jeu du chat et de la souris entre les enquêteurs et la défense, chacun essaye de prendre ses avantages.

Dès le premier contact. Le policier sait qu'il est le maître du jeu puisqu'il a connaissance du dossier et des éléments qui ont conduit à une interpellation, l'avocat n'y a pas accès et ne peut que quémander quelques informations. Nous avons regardé l'un et l'autre Dolorès s'asseoir à l'intérieur en nous tournant le dos et, la porte refermée, je n'ai pas eu le temps d'attaquer.

– Qu'est-ce que vous voulez savoir, maître Lucas ?

– Vous l'imaginez bien. Qu'est-ce que c'est que cette histoire d'assassinat ?

L'autre a pris un air énigmatique, haussé les épaules.

– Vous allez le découvrir lors de l'interrogatoire, vous savez bien que je ne peux rien vous dire.

– Je le sais. Mais en deux mots, de quoi s'agit-il ?

– Écoutez, je ne peux que répéter ce que je vous ai dit tout à l'heure. Nous enquêtons dans le cadre d'une commission rogatoire délivrée par une juge d'instruction de Clermont-Ferrand à la suite d'éléments nouveaux qui ont été portés à la connaissance de la justice, dans une affaire ancienne et dans laquelle votre cliente pourrait être impliquée.

– Les circonstances de la mort de son mari ?

Le commandant Perret eut un grand sourire, ironique.

– C'est vous qui le dites ! À plus.

Puis il tourna les talons et s'éclipsa par le couloir d'où il était arrivé.

# 10

Je me suis précipité dans la cellule où Dolorès était tassée sur sa chaise. Elle s'est levée, s'est jetée dans mes bras. Nous nous sommes étreints quelques secondes. Elle a maitrisé un sanglot et m'a murmuré :

– Je crois que cette fois c'est moi qui ai vraiment besoin de vous.

– Dolorès ? Qu'est-ce qui se passe ? Nous n'avons pas beaucoup de temps avant qu'ils reviennent nous chercher. Est-ce que vous savez pourquoi ils sont venus vous interpeller ?

– C'est pour mon mari…

– Comment votre mari ? C'est une histoire réglée depuis longtemps, non ?

Elle a haussé les épaules.

– Je le croyais aussi, mais avant-hier j'ai eu un appel de Christine Beraud me prévenant qu'il y avait une nouvelle enquête ouverte sur les circonstances de sa mort.

– Qui est Christine Beraud ?

– Vous savez bien, l'ancienne compagne de mon mari. Il l'avait quittée pour moi.

– Comment était-elle au courant et qu'est-ce qu'elle vous a dit ?

– Elle vit aujourd'hui avec un gendarme qui tenait l'info d'un de ses amis policiers. Sous le sceau du secret, il l'avait prévenue que l'enquête était relancée et qu'elle devrait prochainement être entendue.

– Pourquoi vous a-t-elle appelée, vous ? Vous aviez gardé des contacts avec elle ? Elle n'est pas rancunière…

– Ce serait trop long à vous expliquer. Mais oui, on était en contact.

Mes réflexes professionnels déjà en alerte, je n'ai pas pu m'empêcher de lui demander :

– Naturellement, elle vous a appelée de son téléphone et sur le vôtre ?

– Non. Au cabinet. Et d'un mobile qui n'était pas le sien.

J'ai fixé Dolorès en faisant la moue.

– Pourquoi ces précautions alors ?

– Je ne vais pas pouvoir tout vous raconter maintenant.

Elle hésita, visiblement gênée.

– C'est une longue histoire. Je ne sais pas par où commencer.

J'ai compris que je n'allais pas avoir le temps de la confesser avant l'audition et qu'il fallait parer au plus pressé.

– Dolorès, on n'a pas le loisir de tout reprendre par le menu. Est-ce que vous pensez à des détails, disons ennuyeux, pour vous ? Ou est-ce que vous avez pu surprendre depuis ce matin, pendant la perquisition, des conversations, des informations permettant d'avoir une idée sur ce qui les intéresse vous concernant ?

Elle reprenait son calme. Elle était à nouveau concentrée et je retrouvai les réactions de l'assistante qui me secondait efficacement depuis plusieurs années. Son regard était moins perdu. Elle respira longuement.

– Je résume ce que j'ai appris de Christine et ce que j'ai cru comprendre depuis ce matin. D'abord, je ne suis pas seule en garde à vue. Ils l'ont aussi interpellée mais ont « raté » l'interpellation, si j'ai bien compris, de son compagnon et d'un personnage important qui pourrait être le mari de Sabrina. Apparemment, à la suite de son décès en détention, ils ont reçu une dénonciation anonyme qui disait qu'elle n'était pas seule lors de l'assassinat de mon mari. L'auteur laissait aussi entendre qu'elle ne s'était sûrement pas suicidée mais qu'il pourrait s'agir d'un homicide. « Pour qu'elle ne risque pas de parler, un jour. »

– Et qu'est-ce que vous viendriez faire dans tout ça ?

Nous avons échangé un long regard. Décidément, elle avait de très beaux yeux même lorsqu'elle n'était pas maquillée. J'étais comme hypnotisé, cherchant à les lire et prêt à me déterminer sur ce seul élément quant à la sincérité de sa réponse. Elle eut un étrange sourire.

– Je n'ai évidemment rien à voir dans la mort de mon mari. Et encore moins dans celle de Sabrina. Vous me croyez, j'espère ? Mais je pense que je vais vraiment avoir besoin de vous pour me sortir de là.

J'ai failli lui répondre ce que je réponds toujours à l'accusé qui veut s'assurer que je le crois innocent : que je n'en ai rien à faire, que ce n'est pas mon problème, que je suis là pour le défendre. Ces mots-là ne sont pas sortis. J'ai compris qu'il était capital pour elle que je sois bien convaincu de son innocence. Je l'ai senti s'abandonner totalement à moi et cela suscita chez moi un sentiment un peu trouble.

– Oui, je vous crois et je vais évidemment vous sortir de cette galère, mais il faudra tout me dire. Au moins ce que je dois savoir. En attendant, à eux, le moins possible. Nous ne savons pas ce qu'ils ont comme munitions ni où ils veulent en venir, alors bornez-vous à répondre de la façon la plus succincte possible à leurs questions.

Pas de digressions. Ne cherchez pas à vous justifier, à trouver des explications et si la question est gênante, vous ne vous souvenez plus. Compris ?

Elle s'était redressée, à nouveau combative. Confortée par mon soutien et sans doute par ce qu'elle avait lu dans mon regard.

## 11

Le commandant est venu nous chercher quelques secondes plus tard et nous a invités à le suivre dans le dédale des couloirs jusqu'à l'ascenseur. Plutôt plus aimable, il ne l'a pas de nouveau menottée, après s'être assuré sur un ton badin qu'elle n'avait pas l'intention de s'enfuir. Arrivés au second étage, il nous a conduits dans un bureau mis à sa disposition, nous a-t-il expliqué, par ses collègues lyonnais. Il a déploré le désordre qui y régnait, l'état des sièges, la mauvaise isolation des fenêtres et le bruit du vent qui risquait de nous gêner pendant l'interrogatoire. Il a tempêté contre le manque de moyens dont disposaient la police, la justice. J'ai poliment abondé dans son sens, persuadé que toute cette comédie avait pour but de nous mettre en confiance avant de passer à l'audition. Il nous a présenté sa collègue, le lieutenant de police Corinne Berger, qui l'assisterait dans la procédure. Elle n'était guère plus sympathique que son supérieur. Petite, cheveux courts, des yeux sombres et bien qu'un peu forte portant un jean et un corsage moulants qui ne la mettaient pas vraiment en valeur. Elle ne nous gratifia pas du moindre sourire. Le temps de régler l'ordinateur et la caméra pour enregistrer l'interrogatoire (« je vous rappelle que vous êtes entendue dans le cadre d'une affaire criminelle »), de s'assurer, faussement prévenant, que nous étions convenablement installés et il posait ses premières questions relatives à la situation personnelle de mon assistante. État civil, études secondaires, universitaires, situation professionnelle. Jusque-là, rien de très extraordinaire sinon que j'ai découvert qu'elle avait, après son bac, entrepris des études de pharmacie. Elle les avait interrompues en troisième année à la suite de sa rencontre avec un garçon avec qui elle avait vécu pendant une dizaine d'années. Elle l'avait finalement rejoint en école de commerce et s'était formée dans le contrôle de gestion. C'est ainsi qu'elle s'était retrouvée à la Chambre de commerce et d'industrie de Clermont-Ferrand, dont elle était devenue secrétaire générale. Séparée de son compagnon, elle avait été mariée pendant quelques mois avec un médecin dont elle avait divorcé. C'est dans le cadre son activité professionnelle à la CCI qu'elle avait fait connaissance de son futur mari, chef d'entreprise charismatique, devenu un pilier de l'industrie du plastique en Haute-Loire.

Elle n'avait pas eu d'enfant de ses différentes liaisons. Interrogée sur sa situation affective depuis le décès tragique de son conjoint, elle répondit qu'elle vivait seule et qu'elle n'avait pas eu de relation régulière depuis cette date.

Dès l'évocation de sa situation patrimoniale et financière, le ton jusqu'alors indifférent de l'enquêteur changea imperceptiblement.

– Madame, je souhaiterais que vous soyez précise dans les réponses aux questions que je vais vous poser.

Dolorès bredouilla qu'elle n'avait pas de raison de ne pas l'être mais se fit reprendre méchamment de volée par le lieutenant Berger qui, visiblement, éprouvait une sérieuse antipathie à son égard.

– C'est que vous êtes une riche héritière, non ? ricana-t-elle.

Son chef lui jeta un regard réprobateur, puis se tournant vers ma cliente :

– Je vous écoute.

– Que voulez-vous savoir ?

– Tout sur votre situation patrimoniale. Et d'abord, vous êtes salariée chez maître Lucas ? Qualité ? Combien ?

– Assistante. 2 800 euros. Brut.

– Des avantages en nature ?

La façon ambiguë dont il me dévisagea à cet instant ne permettait pas de doute sur ce qu'il insinuait.

– Qu'est-ce que vous voulez dire ?

– Rien. C'était juste une question.

– Aucun.

– Vous avez une voiture ?

– Une Mercedes, coupé, classe C.

– Combien ?

– Je ne sais pas précisément. Autour de 60 000 euros.

– Un bateau ?

– Oui. Un Riva Furama. Je l'ai acheté d'occasion. Environ 110 000 euros.

– Un avion ?

– Vous plaisantez ?

Les deux policiers se moquèrent.

– Non. On ne sait jamais, vous semblez disposer de gros moyens.

Dolorès commençait à bouillir. Je lui filai discrètement un coup de pied pour qu'elle se calme.

– Où voulez-vous en venir ?

– Nulle part, madame. Il s'agit de questions banales sur votre train de vie et bien sûr sur la façon dont vous le financez. Des biens immobiliers ?

– Je suppose que si vous me posez cette question, c'est que vous avez déjà la réponse.

– Je dois tout consigner sur procès-verbal, je vous écoute.

– Très bien. Un studio à Cannes, valeur 750 000 euros, mais j'ai fait un prêt. Mon appartement à Lyon avenue Foch pour environ 800 000 euros. J'ai également acquis un petit studio à Paris, boulevard Saint-Germain. Je n'ai pas le prix en tête.

– Rien d'autre ?

– Non.

– Vous, vous faites confiance à la pierre, non ?

– En effet, mais j'ai aussi effectué différents placements financiers que j'ai confiés à la société Profinance International.

– Pour un montant de ?

– Je vois sur votre bureau que vous avez un dossier de cette société. Environ un million d'euros.

– Des comptes en banque ?

– Oui. À la Société Générale, au Crédit Lyonnais, à la BNP. Vous voulez connaître le montant total ?

– S'il vous plaît.

– Pour environ un ou deux millions d'euros, je ne sais plus.

– Peut-on, à la louche naturellement, chiffrer ce beau patrimoine ?

– Très simple : six millions d'euros.

– C'est un beau patrimoine. Et son origine ?

– Vous le savez très bien. L'assurance-vie dont j'ai bénéficié au décès de mon mari.

– Les circonstances ?

– Très simple. Il m'aimait, j'étais plus jeune que lui et il ne voulait pas que je me retrouve dans le besoin s'il venait à décéder.

– Depuis quand étiez-vous mariés quand il a connu cette fin tragique ?

– Depuis environ deux ans.

– Et quand a-t-il souscrit cette assurance ?

– Dix mois avant sa mort.

– Merci de ces précisions, madame. Comme il n'est pas question de vous épuiser avec nos questions et que nous attendons les résultats des perquisitions auxquelles nous avons procédées ce matin, nous allons vous accorder un temps de repos. Nous reprendrons nos auditions cet après-midi. Vers 16 heures, maître ? Ça vous convient ?

J'ai opiné et compris que la guerre était bel et bien déclarée.

# 12

Après avoir expliqué en deux mots à Dolorès qu'on raccompagnait en cellule que j'allais me renseigner auprès de la juge en charge du dossier et que je revenais pour l'audition de l'après-midi, j'ai filé à ma voiture. J'ai pesté en remarquant le petit papier vert accroché à l'essuie-glace : encore un PV pour stationnement interdit. Et puis le rituel. L'écoute des messages urgents. Avec une variante, ce n'était plus ma fidèle assistante qui triait mais un élève avocat en stage qui devait être affolé par l'ampleur de la tâche car il m'en référait pratiquement pour chaque appel. Je n'ai pu m'empêcher de paniquer à l'idée que je pourrais être privé d'elle pendant longtemps. C'est tout l'équilibre du cabinet qui allait en être bouleversé.

Au milieu de tous les messages qui avaient fini par saturer ma boîte vocale, deux ont attiré mon attention : ma collaboratrice qui devait plaider l'après-midi à Strasbourg demandait que je la rappelle en urgence et pour une raison grave, et la fille de Nicolas Ivanovitch voulait me rencontrer dès que possible et avait laissé son numéro de portable. Je n'ai pas eu le temps de choisir qui privilégier. Sur l'écran du tableau de bord de ma voiture est apparue la photo de Claire Dalbret dont le portable était mémorisé. J'ai aussitôt déclenché la main libre et tout de suite compris à sa voix qu'elle était affolée.

– Ah, je peux enfin vous joindre.

– Que se passe-t-il, Claire ?

– Voilà. J'ai pris l'avion de 8 h 30 et comme j'ai toujours peur d'oublier d'éteindre mon téléphone au décollage, je ne l'avais même pas allumé avant de venir à l'aéroport. En arrivant à Strasbourg, je l'ai remis en route et j'ai vu que j'avais sur le listing un numéro inconnu qui m'avait appelée à de nombreuses reprises depuis 7 h 30. J'ai écouté mes messages et suis naturellement tombée sur le dernier qui datait de 9 h 35, l'heure de mon atterrissage. C'était un flic de la PJ de Lyon.

– Qu'est-ce qu'il vous voulait ?

– Il s'est montré très désagréable et même menaçant.

– Mais à quel sujet ?

– Il disait dans le message qu'il avait besoin de m'entendre aujourd'hui même comme témoin à la demande d'un juge. Qu'il ne comprenait pas que je n'aie pas répondu à ses appels et que si je me défilais il avait d'autres moyens pour me faire venir.

La voix de ma collaboratrice était tremblante et j'ai compris que le policier avait atteint son but : elle avait peur. Mais de quoi ?

– C'est une histoire de fou. Vous a-t-il dit pour quelle affaire ? Est-ce que vous voyez de quoi il peut s'agir ?

Il y a eu un blanc. Ou bien elle cherchait, ou elle hésitait à m'en parler.

– Non, je ne vois pas.

Je réfléchissais rapidement. Il n'est jamais bon dans ce genre de situation d'exciter les policiers. Mais, quand on est avocat et, ce qui est rare, qu'ils veulent nous interroger, on peut toujours se retrancher derrière le secret professionnel.

– Qu'en pensez-vous ? Qu'est-ce que je dois faire ?

– Appelez-le. Expliquez pourquoi vous n'avez pas rappelé tout de suite. Dites-lui que vous êtes naturellement prête à venir dès que votre emploi du temps professionnel le permettra. Essayez de savoir pourquoi et sous quel régime il veut vous entendre : simple témoin, audition libre. Si c'est le cas, je viendrai avec vous.

– Ils ne vont pas me mettre en garde à vue ?

– Claire ! Qu'est-ce-que vous dites ? Pourquoi voulez-vous qu'ils vous mettent en garde à vue ?

Cette fois, c'est moi qui ai marqué un temps de silence.

– Vous n'avez pas fait de conneries au moins ?

– Non, non.

Le ton était mal assuré.

– Bon. Alors, pas de panique. Vous le rappelez. Vous lui dites que vous rentrez de Strasbourg seulement demain matin.

– Mais j'ai mon billet pour le vol de ce soir, c'est facile à vérifier.

– Vous racontez n'importe quoi. Que vous deviez rentrer ce soir mais que vous avez eu le magistrat qui tient l'audience de cet après-midi et qu'elle risque de se prolonger. Débrouillez-vous pour obtenir qu'il ne vous entende que demain en fin de matinée. Et puis dès que vous avez fini votre affaire, vous louez une voiture, trouvez un vol par Paris ou un train et vous rentrez ce soir ou dans la nuit. Il faut qu'on ait le temps de se voir et de discuter avant que vous alliez chez eux. Compris ?

– Vous croyez que ça craint ?

– Aucune idée, Claire. Mais il faut qu'on parle. D'accord ?

– Oui, bien sûr.

51

– Tenez-moi au courant et je me rends disponible, même cette nuit s'il le faut.

Ma collaboratrice parut un peu soulagée.

– Merci. Je vous rappelle.

Décidément, la situation se compliquait sérieusement. Après avoir perdu mon assistante, c'était ma collaboratrice qui se retrouvait dans l'œil du cyclone. La coïncidence était troublante. Même s'il n'y avait guère de probabilité que les deux auditions soient liées.

# 13

Avant d'appeler la fille d'Ivanovitch, j'ai mis France Info pour m'assurer qu'on ne parlait pas des gardes à vue dans l'affaire concernant Dolorès. Je suis tombé en plein sur un flash dont la première nouvelle concernait la mort de l'agent de joueurs. « Rebondissement dans l'affaire de la mort du fameux agent de joueurs Nicolas Ivanovitch dont nous avons fait état ce matin dans nos premières éditions. Information exclusive France Info, il ne s'agirait ni d'une mort naturelle, ni d'un accident, mais d'un crime. Notre correspondante lyonnaise est sur place et nous devrions l'avoir avec nous pour le flash de midi pour plus de détails. »

Incroyable. Ivanovitch assassiné ! C'était sans doute pourquoi sa fille m'avait appelé. J'ai consulté ma montre. Il était un peu plus de 11 h 30. J'avais un peu de mal à digérer tous les événements de la matinée. Et pourtant, il allait falloir. Première priorité : aller au cabinet pour organiser la suite de ma journée et sans doute celle du lendemain qui seraient probablement consacrées à des auditions aux côtés de Dolorès et peut-être à accompagner Claire. Conséquence : faire renvoyer les audiences que je devais assurer. Ensuite, trouver un créneau pour recevoir la fille d'Ivanovitch et un moment pour essayer de comprendre avec Claire pourquoi les flics voulaient l'entendre. Enfin, et peut-être surtout, m'isoler pour jeter un œil au dossier de l'assassinat du mari de Dolorès, rafraichir mes souvenirs et trouver une explication à ce qui ressemblait à une réouverture des investigations sur les circonstances de sa mort.

Je décidai d'appeler d'abord Svetlana Ivanovitch. C'est ainsi qu'elle s'était présentée dans son appel. Je tombai sur le répondeur. Je lui indiquai que j'étais disponible et qu'elle pouvait rappeler dès qu'elle aurait mon message.

Tout en roulant vers le cabinet, je m'efforçais de mémoriser les informations résultant de l'audition de Dolorès et ce qu'elles signifiaient dans l'esprit des enquêteurs. Elle avait bénéficié d'une assurance-vie considérable à la suite du décès de son mari. Elle avait donc un mobile. Mais je croyais me souvenir que cela faisait partie des hypothèses qui avaient été envisagées à l'époque où on était encore sans nouvelles de lui. Il y en avait eu d'autres, le mari de la meurtrière qui aurait pu agir pour des motifs passionnels, l'ancienne compagne de la victime, par vengeance. Mais toutes avaient été abandonnées dès que la secrétaire avait été confondue. Et surtout, avait avoué. Il allait falloir reprendre tout ça. Mais pourquoi l'affaire rebondissait-elle ? Je ne pouvais m'empêcher de repenser aux détails de la fortune de celle qui était devenue mon assistante. Le salaire que je lui versais était une goutte d'eau. Alors que tant de gens rêvent de vivre de leurs rentes, j'en étais à me demander pourquoi elle s'escrimait sans compter à mes côtés quand le numéro sur lequel j'avais appelé la fille d'Ivanovitch s'inscrivit sur l'écran du tableau de bord. Je décrochai aussitôt.

– David Lucas.

– Merci de m'avoir rappelée aussi vite.

La voix était rauque avec un délicieux accent slave.

– Je suis la fille de Nicolas Ivanovitch. Il m'a souvent parlé de vous.

La voix était soudain plus tremblante.

– Il est arrivé quelque chose de terrible. Mon père a été assassiné.

– Je sais, je viens d'entendre la radio. Mais que s'est-il passé ?

– Il faut que je vous voie. Vite.

– Vous êtes où ?

– J'étais avec lui quand c'est arrivé.

– Dans le même hôtel ? Ça s'est passé où ?

– Au château de Bagnols, à côté de Villefranche-sur-Saône.

– Comment a-t-il été tué ?

– Ce serait trop long de vous expliquer au téléphone. Je dois vous parler vite.

Je calculais rapidement mon emploi du temps. Ça allait être compliqué avant le lendemain. Mais Svetlana se faisait pressante.

– Il faut que je vous rencontre aujourd'hui. Je crois que moi aussi je suis en danger.

– Vous êtes encore là-bas ?

– Oui. Les policiers vont prendre ma déclaration et puis je viens si vous voulez bien.

Ça ne m'arrangeait guère, mais il m'a paru difficile de refuser.

– D'accord. Venez dès que vous pouvez, je vous attends au cabinet. Vous avez l'adresse ?

– Oui, j'ai vérifié sur Internet. Merci. J'arrive aussi tôt que possible.

# 14

Yann Gilbert, mon élève-avocat en stage, promu en quelques heures au grade de secrétaire, hôtesse d'accueil, était dans le stress. Il avait d'abord accueilli ma demande avec enthousiasme mais mesurait après à peine une demi-journée l'ampleur de la tâche. Une secrétaire d'avocat ne se borne pas à prendre des appels téléphoniques, à fixer des rendez-vous, à taper des courriers, des mémoires ou des conclusions. Elle fait tout ça, mais doit en plus gérer le stress, le désespoir, la frustration, la colère des clients, la tension de son patron, son agenda, ses déceptions, ses coups de folie, son emploi du temps quotidien qui change tout le temps. Pas simple. Surtout pour un grand garçon d'un mètre quatre-vingt-dix, bien propre sur lui, toujours vêtu d'un costume de premier de la classe, frais émoulu de la fac de droit qui s'imaginait que ces tâches subalternes étaient dévolues à un petit personnel. Il découvrait les délices de l'ambiance ordinaire d'un cabinet d'avocat.

Il avait pris beaucoup de notes, mais naturellement n'était pas en mesure d'apprécier le degré d'importance de toutes les informations qu'il avait compilées. Je l'ai interrompu dix fois par des « Okay, compris. Quoi d'autre ? ». Le malheureux s'affolait.

– Yann, paniquez pas. Ce que vous avez fait est bien fait. Continuez comme ça cet après-midi et tout devrait revenir dans l'ordre d'ici demain soir.

Je n'étais pas sûr d'y croire moi-même mais, bon, je n'avais que lui sur qui m'appuyer à court terme. Il m'a regardé suppliant ;

– Oui, mais qu'est-ce que je dis quand les clients râlent ?

– Quand ils râlent comment ?

– Ben, quand ils disent qu'ils voudraient parler à Dolorès, qu'ils ne peuvent pas vous joindre, qu'ils n'ont pas de nouvelles de leur dossier, qu'il n'y a pas de rendez-vous avant quinze jours…

– Vous leur dites que Dolorès a la grippe et qu'elle est alitée, que je plaide aux assises à Brest, que leur dossier suit son cours, et que je les verrai dès que ce sera utile pour leur défense.

Là-dessus, j'ai tourné les talons et suis allé m'enfermer dans mon antre. À peine assis dans mon fauteuil, j'ai pris la position que j'affectionne le plus pour me détendre : les pieds sur le bureau. Ma mère m'a toujours dit que c'était bon pour la circulation d'avoir les jambes en position surélevée. Et j'ai toujours écouté ses conseils. Ça m'a fait sourire et je me suis dit qu'il y avait au moins trois jours que je ne l'avais pas appelée et qu'il me faudrait le faire dans la soirée. Je me suis massé les tempes, puis les paupières et j'ai respiré longuement. Quel métier de fou. Je me dis souvent que ceux qui ne l'exercent pas ne peuvent pas comprendre la charge de stress qu'il génère. Ces moments où tout s'accélère et où il faut régler plusieurs dossiers en même temps tout en gérant ses problèmes personnels. Ça doit être comme ça dans beaucoup de métiers, mais quelle tension. Revenu au calme j'ai attaqué par là où j'avais décidé de commencer. Depuis, l'aube je traînais dans ma sacoche, désormais posée à mes pieds, le dossier « Grangeon ».

Je l'en ai extrait et reprenant une position plus normale, j'ai entrepris d'en disposer les pièces sur mon bureau de façon accessible pour pouvoir me focaliser sur l'essentiel. Il était resté classé tel qu'il était lorsque je l'avais plaidé, puis ensuite archivé. La grosse cote cartonnée comportait une sous-cote « plaidoirie » où figurait le plan que j'avais établi avant de prendre la parole. J'en établis un systématiquement. Ça me permet de structurer ma pensée et de me rassurer. Je fais figurer dans cette cote les pièces importantes auxquelles je me référerai en plaidant et dont je serai susceptible de donner lecture. C'est généralement une synthèse de tous les éléments du dossier, bien ordonnés.

J'ai donc entrepris de les étaler devant moi. La cote « procédure », celle consacrée aux premières constatations, aux expertises, aux déclarations des témoins, de l'accusée et celle regroupant les auditions de Dolorès, à l'époque ma cliente. J'ai tout de suite eu un mauvais pressentiment en ouvrant cette dernière. Elle était quasiment vide. On en avait retiré la plupart des procès-verbaux. J'ai cherché fébrilement dans les autres cotes et compris tout de suite que quelqu'un avait effectivement fouillé le dossier et « emprunté » beaucoup de pièces importantes. Une vague de chaleur m'a envahi. Qui ? Et pourquoi ? Il n'y avait qu'une réponse possible à ces deux questions. J'ai foncé dans le bureau de Dolorès et constaté qu'un des tiroirs était verrouillé. Impossible de trouver la clé au milieu des papiers qui se trouvaient dessus. J'ai avisé un trombone qui traînait et l'ai glissé dans la serrure. Je revoyais tous ces vieux films où le héros s'applique méticuleusement à forcer de la sorte une petite serrure. J'ai tourné, retourné le petit bout de métal à l'intérieur et ça a marché. J'ai ouvert, le cœur un peu battant, le tiroir et vu tout de suite ce que je cherchais. Une chemise noire planquée sous des kleenex, des enveloppes, des feuilles de brouillon. Je l'ai ouverte en sachant ce que j'allais y trouver : toutes les pièces manquantes du dossier « Grangeon » soigneusement classées.

Je suis resté malgré tout abasourdi pendant quelques instants.

Ainsi, Dolorès était allée consulter le dossier du meurtre d'Armand Grangeon tout récemment, et surtout discrètement. Les idées se bousculaient dans ma tête. Pour quelles raisons ? Qu'avait-elle voulu vérifier ? Je me suis vite autoconvaincu que c'était peut-être à la suite de l'appel de l'ancienne compagne de son mari qui l'avait informée d'une réouverture de l'enquête. Sans doute avait-elle voulu relire les déclarations faites à l'époque, pour se rafraîchir la mémoire et pouvoir les confirmer si on l'interrogeait à nouveau. Mais quel besoin d'avoir à les relire ? Je passe ma vie à répéter à mes clients que quand on dit la vérité on ne se « coupe » jamais. Je décidai de reprendre les pièces et de les remettre dans mon dossier au cas où… au cas où les policiers viendraient perquisitionner dans ses affaires au cabinet. Cette découverte ferait sûrement mauvaise impression. Au moment de quitter son bureau, je ne sais pas ce qui m'a pris mais je suis retourné fouiller dans son tiroir. J'ai trouvé un petit coffre en nacre. J'ai voulu l'ouvrir mais il était fermé à clé. Je n'ai pas repris mon trombone. Je l'ai rapporté dans mon propre bureau et l'ai planqué sous des dossiers. Il faudrait évidemment que je parle de tout ça avec elle. J'étais perdu dans mes pensées quand la ligne intérieure a sonné. Mon stagiaire m'annonçait l'arrivée de Svetlana Ivanovitch.

## 15

Mlle Ivanovitch n'avait ni le look, ni l'attitude d'une fille effondrée par l'assassinat de son père. La quarantaine, juchée sur des talons très hauts, portant une jupe courte et une tunique presque transparente qui moulait une opulente poitrine, elle avait un regard qui ne pouvait laisser indifférent. Des yeux gris-vert soulignés par un lourd maquillage illuminaient un visage légèrement halé, aux pommettes marquées qui signifiaient sans doute qu'une partie de ses ancêtres devait être d'origine asiatique. Elle portait des cheveux courts, bruns, un peu bouclés avec des mèches plus claires. Elle ne paraissait pas éplorée mais inquiète. Je me suis avancé vers elle en lui tendant la main et m'apprêtais à lui présenter mes condoléances. Elle m'arrêta d'un geste.

– Ne vous fatiguez pas à me plaindre ou à me faire des « salamalecs ». Je ne suis pas là pour mon père. C'est moi qui ai besoin de vous.

Au moins les choses étaient dites et clairement dites, le tout avec un léger accent de l'Est et une belle voix grave.

– J'ai quand même beaucoup de peine pour lui. Je l'ai bien connu et….

Elle me coupa.

– Je sais, je sais. Il m'a beaucoup parlé de vous.
C'est pour ça que je suis là.

Je l'invitais à s'asseoir sur le canapé installé au
fond de mon bureau où j'avais fait aménager un coin
salon pour discuter plus intimement avec mes clients de
marque ou des hôtes de passage. Elle regardait autour
d'elle, s'attardant sur les quelques toiles modernes, des
Chamizo, qui ornaient les murs.

– Vous aimez l'art moderne ?

– Oui.

– Moi aussi. Je viens de m'offrir un Basquiat.

J'étais un peu perturbé par son attitude et je n'avais
pas non plus des heures à lui consacrer puisqu'il allait
me falloir retourner à l'hôtel de police. J'essayai d'en
venir rapidement au vif du sujet.

– Expliquez-moi. Qu'est-il arrivé à votre père ?

– Il a été assassiné cette nuit dans sa chambre.

Le ton était badin, presque indifférent.

– Comment ? Par qui ?

– Ça, on ne le sait pas encore. Il a été poignardé.

– Et on a une idée du mobile de cet acte ?

– C'est aussi pour ça que je suis là. Je crois que moi
aussi je suis en danger.

– Mais pourquoi ?

– C'est une longue histoire. Combien de temps vous
pouvez me consacrer ?

Je consultais ma montre.

– Pas énormément de temps, car je dois filer à une
garde à vue. Mais on peut se voir après si vous voulez.

– On peut dîner ensemble ?

Son ton direct me désarçonnait.

– Oui, si vous voulez.

J'avais répondu trop vite et m'en voulais déjà d'avoir
accepté. Je m'interdis généralement d'accepter des

invitations personnelles de clients et surtout de clientes. Je n'ai jamais aimé le mélange des genres. Je me suis dit tout de suite, pour me donner bonne conscience, que c'était différent puisque c'était la fille d'un ami. Et puis il venait de mourir dans des conditions dramatiques. Et qu'elle avait besoin de réconfort.

La vérité, c'est que cette femme m'avait plu dès que je l'avais vue et que c'était inespéré de pouvoir dîner aussi vite avec elle. Elle me fixait, cherchant à lire dans mes pensées. Visiblement, elle y parvenait très bien. Elle m'adressa un sourire sans ambiguïté. Cette idée ne lui déplaisait pas.

– Vous allez loger où ?

– Qu'est-ce qu'il y a de mieux ?

– Prenez une chambre au Sofitel Bellecour, c'est ce qu'il y a de plus central et de plus facilement accessible.

– On se retrouve à quelle heure ?

– Difficile d'être précis dans mon métier.

– Moi, j'ai tout mon temps. Vous pouvez m'appeler quand vous voulez. Je vais vous laisser.

Elle se leva, se dirigea vers la porte, puis se retourna vers moi en tendant un index.

– En attendant, je peux compter sur vous ? Vous n'acceptez personne d'autre dans cette affaire ?

– Bien sûr.

– Même si on vous propose beaucoup d'argent ?

– Évidemment.

# 16

Retour à l'hôtel de police. Cette fois plus chanceux, j'ai pu me garer à proximité. La procédure ne me permettant pas de m'entretenir à nouveau avec ma cliente et le policier ne me paraissant pas spécialement bienveillant, j'échafaudai une stratégie pour pouvoir lui parler en aparté. Ça allait être difficile. J'ai attendu qu'il vienne me récupérer à l'accueil, l'ai suivi dans le labyrinthe des couloirs jusqu'au bureau où Dolorès avait déjà été conduite. Elle m'a adressé un pâle sourire et aussitôt l'interrogatoire a repris.

– Vous n'avez rien à ajouter sur votre situation financière ? Vous n'avez rien oublié ?

Quand un policier ou un juge vous pose cette question, c'est qu'il connaît déjà la réponse. Et que vous avez omis quelque chose d'important. Elle a pris un air absent et murmuré :

– Je ne crois pas, non.

Le flic a fait mine de rechercher dans les documents disposés devant lui.

– Nous avons trouvé trace de deux importants virements à destination d'une banque suisse peu de temps après que vous avez bénéficié de votre assurance-vie, c'était quoi ?

Elle adopta cette fois un ton détaché.

– Ah oui, j'avais oublié. Ce sont des dons.

Perret la fixa avec un sourire ironique.

– Vous, vous êtes une femme généreuse : il y en a pour pas loin d'un million d'euros ! À qui ces dons ?

– Je dois répondre ?

– C'est comme vous le sentez, ricana-t-il, mais vaudrait mieux. De toute façon, on vérifiera.

Je n'avais pas vu venir la réaction de Dolorès. Elle explosa littéralement.

– Mais c'est quoi toutes ces questions ? Pourquoi est-ce que je suis là ? Qu'est-ce qu'on me reproche ? J'en ai assez d'être traitée comme une criminelle. Je fais ce que je veux de mon argent. Si vous voulez m'accuser de quelque chose, dites-le franchement et qu'on en finisse.

C'est l'assistante de Perret que je n'avais pas vue dans l'entrebâillement de la porte donnant sur un autre bureau qui lui répondit méchamment.

– Vous vous calmez, madame. Nous faisons notre travail et vous posons des questions à la suite d'un certain nombre d'événements portés à la connaissance de la justice récemment. Ce sont des éléments graves qui sont susceptibles de remettre en cause les circonstances réelles de la mort de votre mari.

Son chef lui jeta à nouveau un regard désapprobateur à la suite de son intervention intempestive.

– On ne vous accuse de rien, madame. Nous vous interrogeons.

Quel hypocrite, ai-je songé.

– On peut continuer ?

Dolorès s'était calmée. L'autre reprit avec un air détaché.

– Alors à qui ces dons ?

– À deux associations caritatives. Pour deux causes qui me sont chères.

– Plus précisément ?

– « Orphelins du monde », je crois, et une association de protection des espèces animales en danger et plus spécialement des éléphants.

Les deux policiers échangèrent un sourire ironique. Elle fit mine de réfléchir et anticipa la question plus précise qu'elle pressentait sur les raisons de ces dons.

– Je venais de toucher beaucoup d'argent, de façon inattendue, j'ai voulu faire un geste… peut-être pour me donner bonne conscience.

– Parfait. Voyez qu'il n'y avait pas de piège.

Il soupira, pensif.

– Ce sont effectivement des causes qui méritent d'être soutenues. Bon, si vous le voulez bien, nous allons revenir maintenant sur les événements qui ont précédé la disparition tragique d'Armand Grangeon et vos rapports avec les différents protagonistes de cette affaire.

– Mais j'ai déjà répondu à ces questions à vos collègues à l'époque.

– Justement nous allons y revenir.

– Comme vous voulez. De toute façon, je n'ai jamais rien eu à cacher.

– Dans ce cas, mes questions ne risquent pas de vous embarrasser. Reprenons.

S'est ensuivie une audition de plus de deux heures au cours de laquelle Dolorès a répondu avec un luxe de détails à toutes les questions qui lui ont été posées sur le déroulement des événements et ce qu'avait été son rôle au moment des faits. Le policier qui avait sous les yeux ses dépositions au moment de la première enquête n'a pas pu relever la moindre contradiction. À plusieurs reprises, il avait tenté de la mettre en difficulté mais avait dû battre en retraite tant elle était précise et confirmait point par point ce qu'elle avait dit. Il m'a paru impressionné par la cohérence de ses déclarations. Je l'étais un peu moins, conscient des raisons qui pouvaient les expliquer. Il a mis un terme à l'interrogatoire vers 19 heures.

– J'en ai terminé avec cette partie des questions que je voulais vous poser. Nous reprendrons demain vers 10 heures, si ça vous convient, maître.

Mon assistante parut désespérée.

– Je vais rester ici ?

– Je vous rappelle que vous êtes en garde à vue. Mais ne vous inquiétez pas, vous serez bien traitée.

J'ai pu lui glisser quelques mots de réconfort avant de partir. Le flic laissait traîner une oreille. Je l'ai regardée intensément et lui ai dit en la quittant :

– Et ne vous inquiétez pas pour le dossier sur lequel vous étiez, je l'ai récupéré et reclassé... avec tout ce qui allait avec.

Cette fois, elle a eu un bon sourire.

– Vous me rassurez. Je savais que je pouvais compter sur vous.

## 17

Il était 19 h 20 quand je me suis retrouvé dans ma voiture. Restait à organiser mon emploi du temps qui allait être compliqué à gérer : passage au bureau, dîner avec Svetlana, et retrouver à un moment quelconque de la soirée, Claire. D'abord, vérifier où elle en était de son voyage de retour de Strasbourg. J'allais lui adresser un message quand j'ai reçu l'appel au secours de mon jeune stagiaire complètement débordé et affolé. Je l'ai rassuré sur mon arrivée imminente et ai appelé ma collaboratrice. La communication était très mauvaise : elle serait à Lyon vers 23 heures. Nous sommes convenus de nous retrouver au bureau où je lui ai demandé de m'attendre, ayant un rendez-vous important à l'extérieur du cabinet, qui risquait de se prolonger un peu tard. Puis, j'ai contacté « mon rendez-vous important » pour décider du lieu et de l'heure de notre rencontre. Svetlana m'a répondu tout de suite. Elle m'a dit qu'elle m'attendait au Sofitel et que compte tenu de son état de fatigue émotionnelle suite aux événements qu'elle venait de vivre, ce serait sans doute mieux de s'y retrouver pour dîner. J'ai approuvé l'idée, lui ai confié que je repassais par le bureau pour expédier les affaires courantes et que j'arrivais.

Mon passage y a été rapide. Au long dam de celui qui était devenu en quelques heures mon homme à tout faire. Chaque fois qu'il partait dans un long développement pour me parler d'un appel ou d'une visite d'un client, je l'interrompais rapidement : « J'ai compris, ensuite... » et quand il fallait qu'il donne une réponse : « Meublez, gagnez du temps. Vous voulez être avocat ou pas ?.... Eh bien apprenez à vous débrouiller en toutes circonstances, à jouer la montre, à rassurer... et à arranger, un peu, la vérité... » Pas convaincu le garçon. Mais bon, il me fallait bien faire avec.

Puis j'ai filé au Sofitel où j'ai fait prévenir Svetlana Ivanovitch de mon arrivée. Elle m'a proposé qu'on se retrouve au bar du huitième étage car elle avait besoin de prendre un « petit remontant ». J'ai renoncé à lui expliquer que ce n'était pas forcément le meilleur endroit pour parler. L'idée de prendre un bon whisky qui allait me détendre me convenait finalement tout à fait.

Je suis arrivé le premier, me suis installé contre la baie vitrée en demandant au barman de décaler nos deux fauteuils à une extrémité de l'espace pour qu'on puisse parler sans être trop proches de nos voisins. Puis j'ai commandé tout de suite un Aberlour, dix-huit ans d'âge, ai allongé mes jambes pour me décontracter et embrassé la magnifique vue de Lyon la nuit, qui s'étalait sous mes yeux. Les bords du Rhône, le quai Claude-Bernard et les bâtiments de la faculté de droit où j'avais fait mes études, et plus loin les deux tours qui donnaient à cette vieille mais belle ville, son caractère de modernité.

J'en étais à me remémorer avec nostalgie cette période de la fac quand Svetlana est apparue à l'entrée du bar. Elle n'avait rien d'une orpheline éplorée, ni de quelqu'un qui vient à un rendez-vous d'affaires : elle était encore juchée sur d'immenses talons et portait une tenue qui attira immédiatement l'attention de tous les hommes présents dans le bar. Jupe noire exagérément courte, tee-shirt chic au décolleté provocateur, l'effet spectaculaire était un peu gommé par la relative pénombre qui régnait dans les lieux. Je me suis naturellement levé pour lui présenter le fauteuil qui me faisait face et lui tendre la main. Elle ne l'a pas saisie, mais m'a adressé un sourire enjôleur, avant de s'installer dans son siège en croisant les jambes. Puis, jetant son regard sur la ville :

– Quelle vue magnifique. Je n'étais jamais venue à Lyon mais cette ville me plaît déjà beaucoup.

– Ne me dites pas que vu l'activité de votre père dans le foot et votre proximité dans ses activités, vous ne l'aviez jamais accompagné dans le cadre d'un transfert avec l'Olympique Lyonnais.

– Jamais. Vous savez, même si depuis quelques années déjà je travaillais avec lui, je ne faisais presque jamais les déplacements quand il négociait. Mon rôle était, disons, plus administratif. Je mettais en forme les accords intervenus. Je trouvais les solutions juridiques et fiscales qui permettaient d'aboutir aux accords négociés.

– Comment en êtes-vous venue à travailler avec lui ?

– C'est simple. J'ai fait des études de droit à Assas et me suis spécialisée en matière fiscale. Et puis, j'ai participé pour m'amuser à un concours de beauté alors que j'étais en maîtrise et figurez-vous que j'ai été élue Miss Île-de-France.

Comme je hochais admirativement la tête, elle a éclaté de rire :

– Ça vous étonne ?

– Pas vraiment. Mais…

– Mais comment j'en arrive à seconder mon père dans ses affaires ? C'est une longue histoire. J'ai arrêté mes études parce que j'ai été repérée par une agence de mannequins qui m'a fait signer un contrat juteux et j'ai travaillé pendant une dizaine d'années dans le milieu. Comme j'avais des connaissances juridiques, j'ai été amenée très rapidement à conseiller des filles avec qui je bossais. Je leur négociais leurs contrats, leurs placements. Comme beaucoup étaient étrangères, j'ai étudié toutes les solutions fiscales qui s'offraient à elles et suis devenue très pointue dans ces matières. Les sociétés off-shore n'avaient plus aucun secret pour moi.

– Ça vous a conduit naturellement au foot...

– Pas directement. Dans le même temps, j'ai été mariée deux fois à des mecs qui m'ont bouffé tout ce que j'avais gagné. Pointue en matière financière et fiscale mais, à l'époque au moins, nulle sur le plan sentimental. Je me shootais un peu et après ma deuxième séparation, j'ai fait une grosse déprime. J'étais en froid avec mon père qui n'avait pas approuvé que j'arrête mes études pour faire le mannequinat, « un métier de pute », pour lui. Il m'a appelée un jour alors que ça faisait dix ans qu'on ne s'était plus parlé. Il venait de faire l'objet d'un contrôle fiscal, s'était fait escroquer par un fiscaliste qui lui avait pris une fortune, et se retrouvait dans une situation difficile. Il avait quand même suivi ma carrière, était au courant de mes déboires sentimentaux par sa sœur, ma tante, avec qui j'étais restée en contact et, voulais savoir si ça m'intéresserait de travailler avec lui. Je me suis dit « pourquoi pas ? ». Au fond, footballeurs, mannequins c'est la même problématique. Et puis j'avais besoin de fric. J'en avais toujours eu et l'âge avançant je me doutais bien que ce serait plus compliqué d'en gagner avec... disons, mon physique. J'ai accepté. Je lui ai structuré sa petite entreprise artisanale et, avec mes solutions innovantes, on a vite conquis de grosses parts du marché. Il avait les réseaux et moi les formules. Par ailleurs, lorsqu'il fallait convaincre un joueur de rejoindre notre écurie, j'avais des arguments, disons, qu'il n'avait pas...

J'imaginais très bien. Le barman s'était approché pour prendre sa commande. Elle me jeta un œil faussement réprobateur en remarquant que j'avais déjà commandé mon whisky.

– Mais non, je ne vous reproche rien ! Vous avez bien fait de ne pas m'attendre.

Puis se tournant vers l'homme qui attendait :

– Vodka ! Glacée. Je suis d'origine ukrainienne, mais je ne bois que de la russe et de la bonne. *Stolichnaya !*

# 18

La journée avait été épuisante et le whisky commençait à m'engourdir. J'observais cette jolie femme en train de siroter sa vodka avec un vague sentiment de culpabilité. Je ne pouvais m'empêcher de penser à Dolorès qui devait passer de sales moments à l'hôtel de police, dans une cellule puante de garde à vue. Et puis j'étais là pour parler avec elle des circonstances tragiques du crime dont avait été victime son père, or mes pensées étaient complètement hors sujet. J'avais, en fait, violemment, envie d'elle. Je la regardais m'observer et me demandais si elle pensait à la même chose. Je me suis raisonné et dès qu'elle eut posé son verre sur la table, j'entrepris d'aborder le vif du sujet.

– Svetlana. Vous me permettez de vous appeler Svetlana ?

Elle me sourit à nouveau.

– Évidemment.

– Expliquez-moi ce qui s'est passé pour votre père.

– Je ne sais trop par quoi commencer pour que vous compreniez tout, y compris pourquoi j'ai aussi peur pour ma vie.

Elle avait soudainement pris un air grave.

– D'abord, qu'est-ce que vous faisiez hier au château de Bagnols ?

– Ah oui. Comment et pourquoi on s'est retrouvé là ?

Elle prit une profonde inspiration, se concentrant visiblement pour ne rien oublier.

– Ne m'en voulez pas si je reviens sur des choses que vous savez déjà puisque vous aviez collaboré avec lui, mais je vais essayer de vous faire un rapport le plus complet possible des événements de ces derniers mois, de ce qui s'est passé hier et de cette nuit au château de Bagnols. J'ai essayé de rassembler mes idées cet après-midi en vous attendant, et n'hésitez pas à m'interrompre si vous avez des questions à me poser.

– Pas de problème. Je vous écoute.

– Voilà. Comme je vous l'ai expliqué tout à l'heure, ça fait maintenant une dizaine d'années que je travaille avec mon père. Pour que vous compreniez bien, il faut que vous sachiez que, dans mon enfance, je l'ai très peu vu. J'ai été élevée par une mère alcoolique et dépressive tandis que lui parcourait le monde comme agent de joueurs. On avait de l'argent, mais aucune vie de famille. Ma mère est morte d'un cancer du foie quand j'avais douze ans. Je me suis retrouvée dans une pension en Suisse d'où je suis sortie pour aller en fac. Lui était absent et a profité du fait que j'abandonne mes études pour couper complètement les ponts. C'est pourquoi je n'ai pas une affection particulière pour « mon cher papa ». Quand on a commencé à travailler ensemble, son activité était un peu au creux de la vague et c'est moi qui l'ai véritablement boostée. Mais pour que vous sachiez bien qui était le bonhomme, il a essayé de m'arnaquer d'entrée.

Le visage de Svetlana avait brutalement changé. Elle avait les mâchoires serrées et son regard s'était durci.

– Je me tapais tout le boulot pendant qu'il faisait le beau. C'est moi qui effectuais les montages, qui trouvais des solutions de folie pour mettre en musique des contrats fumeux et il voulait me filer seulement 10 % des coms qu'il percevait. Il a pratiquement fallu que je le menace pour obtenir mon dû, à savoir fifty-fifty. Une fois que les choses ont été claires entre nous, on a bossé à fond et, en quelques années, on a récupéré quelques stars planétaires et nous sommes devenus les interlocuteurs ou plutôt les « intermédiaires » privilégiés, comme on dit, des plus grands clubs européens. Et puis, il y a quelques mois, deux événements dont je pense qu'ils sont liés ont changé la donne. Mon père a prétendu, je dis a prétendu, car je n'ai jamais pu en avoir une quelconque confirmation de qui que ce soit, qu'il était atteint d'une tumeur au cerveau et est devenu complètement paranoïaque.

– Ça se manifestait comment ?

– Il a commencé à développer un délire, persuadé que tout le monde lui en voulait, allant jusqu'à prétendre que je travaillais dans son dos et même que je le volais. Et puis, un jour, il a pété les plombs. J'ai appris par un ami commun qui avait tenté de le raisonner en vain qu'il était entré en contact avec un journaliste d'investigation et qu'il voulait tout balancer sur les mœurs du football avant de mourir. J'ai essayé d'en parler avec lui à plusieurs reprises mais il a toujours fui la discussion. Et il y a quinze jours, je suis tombée par hasard sur un mail qui lui était destiné. Une journaliste d'une de ces chaînes qui vivent sur le sensationnel lui faisait parvenir le pitch de l'émission qu'elle avait préparée. J'étais hallucinée.

Elle s'interrompit pour vider d'un trait ce qui restait de vodka dans son verre et en commander une seconde. J'en profitais pour la relancer.

– C'était quoi cette émission ?

– Visiblement, il avait déjà parlé avec elle et commencé à balancer. Ils étaient convenus de revenir sur le transfert foireux il y a deux, trois ans d'un international nigérian de Toulouse au club ukrainien de Dnepropetrovsk. L'histoire était intéressante car elle permettait de décrire sur un seul dossier toutes les dérives occultes du foot : magouilles entre dirigeants, rétro-commissions, mise en place de sociétés écrans, sociétés d'image bidon… la totale ! Ces deux tarés avaient mis au point un scénario du genre « télé-réalité » qui devait assurer le succès du spectacle : réunir dans le même lieu tous les protagonistes de l'opération, sans les prévenir de la présence des autres et filmer une sorte de confrontation générale au cours de laquelle mon cher père dénoncerait lui-même les magouilles qu'il avait organisées. Une tuerie ! Ponctuée par son suicide professionnel…. Et donc aussi le mien, sans naturellement qu'il m'ait demandé mon avis.

– Et alors ?

– Je me suis dit que c'était une idée démente mais que ce serait impossible à monter. Et puis, il y a trois jours, j'ai intercepté un mail entre cette fille et mon père et j'ai compris que la journaliste avait réussi son coup. Elle avait convaincu le président et le directeur sportif de Dnepropetrovsk, l'ancien président de Toulouse, et Ikpebo, le joueur nigérian, de venir au château de Bagnols près de Lyon. J'ai essayé de joindre mon père pour le dissuader de participer à cette mascarade, mais n'y suis pas parvenue. Alors j'ai décidé de m'y rendre moi aussi.

# 19

La plupart des personnes présentes au bar étaient parties dîner aux Trois Dômes, le restaurant gastronomique situé au même étage. Je m'étais assuré que personne ne puisse suivre notre conversation et maintenant nous étions pratiquement seuls, ce qui allait me permettre de la « cuisiner » un peu plus sur ce qui s'était passé. Je la fixais quelques secondes. Elle aussi avait jeté un regard alentour pour s'assurer qu'elle pouvait me parler sans être écoutée.

– Vous l'avez prévenu de votre venue ?

Elle réfléchit une seconde et à partir de cet instant, j'ai senti qu'elle ne me disait plus tout à fait la vérité.

– Je vous ai dit que je n'avais pas réussi à le joindre.

– Comment cela se fait-il ? Vous travailliez ensemble, vous aviez son portable, son mail.

– Ensemble mais pas au même endroit. Lui résidait depuis trois ans à Cannes où il avait un appartement sur la Croisette et moi j'avais gardé le mien à Paris, avenue Foch. Je l'avais acquis quand j'étais mannequin et que je conseillais des filles. Je gagnais beaucoup d'argent à cette époque. Et quand nous avons décidé de travailler ensemble avec mon père, c'est là que nous avons installé le siège de notre société. On se voyait ou chez lui ou chez moi pour régler les affaires importantes. Ou on se retrouvait ponctuellement à Londres, à Munich ou à Milan s'il avait besoin de ma présence.

– Je comprends mais il n'a répondu ni à vos appels, ni à vos mails ?

Elle parut agacée par mes questions. Elle fit un geste d'impatience.

– Une seconde, j'y viens. Disons que depuis quelques semaines nos rapports s'étaient détériorés. À cause de cette histoire de livre aussi.

– Quel livre ?

– Je vous ai dit qu'il avait pété les plombs et voulait tout balancer sur les mœurs du foot. Un jour où on s'engueulait sur la question, il m'a dit que, de toute façon, il avait écrit un bouquin où il racontait tout. Je lui ai dit qu'il avait le droit de se suicider mais pas de m'entraîner dans sa perte. Qu'après ça, je ne pourrais plus travailler dans le milieu. Il m'a répondu qu'il n'en avait rien à foutre et que je pourrais toujours me « débrouiller avec mon cul. »

– Je suppose que vous l'avez mal pris.

Elle rit nerveusement.

– Tu parles, si je l'ai mal pris. Je l'ai copieusement insulté et on s'est plus revu.

Je réfléchissais rapidement à la situation. La rupture avait effectivement dû être consommée entre eux. Mais du coup, pourquoi essayer de le revoir avant cette fameuse émission. J'allais lui poser la question, mais elle anticipa.

– Vous vous demandez pourquoi je suis venue alors que je n'étais pas parvenue à le convaincre et que, de toute évidence, sa décision était déjà prise ?

– Évidemment.

Elle haussa les épaules et prit un air faussement indifférent.

– En fait, un concours de circonstances. Par une relation commune dans les milieux de la presse, j'apprends que Lise Michel, vous voyez cette journaliste de merde, a tout organisé pour réunir ses « invités » hier au château de Bagnols. La production a payé les billets d'avion pour les Ukrainiens en leur expliquant qu'on allait parler foot dans cette émission. Qu'ils avaient été choisis du fait des résultats exceptionnels de leur club et qu'on allait faire leur promotion. À l'ancien président de Toulouse qui a connu depuis quelques ennuis judiciaires, on a raconté que ce serait l'occasion pour lui de se réhabiliter au cours d'un débat où il avait le beau rôle. Quant au joueur nigérian qui prétendait que mon père l'aurait ruiné en abusant de sa confiance, on lui avait fait miroiter une tribune pour qu'il puisse tranquillement expliquer les turpitudes des agents et comment il avait été escroqué.

– Et alors ?

– Le clou du spectacle, ce devait être ce matin après le petit déjeuner. Tout ce petit monde qui s'attendait à une interview banale allait se retrouver piégé, en présence de mon père qu'elle allait sortir de son chapeau et qui allait tout déballer de l'histoire du transfert d'Ikpebo. Ça allait être un feu d'artifice ! Le grand déballage filmé naturellement dans les conditions du direct. Un triomphe de plus de la télé-réalité !

– Ça ne m'explique pas comment vous arrivez là.

– J'y viens. Ce qui a fini de me rendre dingue, c'est qu'au terme du combat, mon père devait brandir le manuscrit du bouquin qu'il voulait publier en expliquant qu'il y révélait absolument tout des pratiques frauduleuses en vigueur dans le monde du foot. Il comptait ensuite le mettre littéralement aux enchères entre les éditeurs. Alors, j'ai eu une bonne idée pour faire foirer le truc.

– Laquelle ?

Elle éclata d'un rire nerveux.

– Anticiper et prévenir chacun des protagonistes du guet-apens dans lequel on les avait attirés. Foutre le bordel, faire capoter ce cirque. Astucieux, non ?

– Une histoire de fous, vous voulez dire. Mais je ne comprends pas comment ce débat aurait pu être organisé sans que les intéressés se croisent avant le moment décisif. Et puis quels secrets tellement importants pouvaient être révélés, qui mettent en grande difficulté les uns ou les autres ? Et surtout, êtes-vous arrivée à vos fins ?

– Que des questions passionnantes ! Je vais vous raconter tout ça, mais j'ai faim. Vous m'invitez à dîner ?

# 20

L'histoire de Svetlana commençait à m'intéresser terriblement mais je n'arrivais pas à me sortir de l'esprit mes deux autres préoccupations du moment. Et surtout mon rendez-vous avec ma collaboratrice au cabinet. Je n'allais pas pouvoir passer des heures avec elle. Il allait falloir aller à l'essentiel et vite. Notre entrée dans la salle du restaurant ne passa pas inaperçue. Déjà, dans la semi-pénombre du bar cette fille attirait l'attention. Mais dans la lumière. Je réalisais d'abord qu'elle était très grande et que sa démarche sur ses hauts talons donnait un peu le vertige. Si on y ajoutait la jupe ultracourte et un haut qui ne cachait presque rien de sa poitrine, rien chez elle ne pouvait faciliter la concentration d'un homme sur les histoires qu'elle pouvait raconter. Et pourtant, c'était bien le sujet du soir. Le maître d'hôtel, très impressionné lui aussi, nous plaça prudemment au bout de la salle, contre la baie vitrée. Nous convînmes rapidement de nous borner à un poisson et à une bouteille de puligny. Tandis qu'on nous servait les amuse-bouches, je la relançais sur ma dernière question. Elle prit un air désespéré.

— Vous, vous ne regardez pas les émissions de télé-réalité.

— Pas vraiment, non.

– Le génie de ces producteurs, c'est de mettre les gens dans des situations imprévues et de les filmer. C'est simple comme concept. Toujours grâce à mon ami qui bosse chez Epsilon Production, j'ai appris comment ils s'étaient organisés. Les Ukrainiens débarquaient à Saint-Exupéry d'un vol direct en provenance de Kiev. On leur faisait visiter les installations de l'Olympique Lyonnais et on les déposait directement à l'hôtel où un dîner leur était servi dans un petit salon. L'ex-président de Toulouse se voyait offrir une soirée au casino de Charbonnière avec suffisamment de jetons pour faire joujou toute la soirée et serait ensuite directement conduit dans sa chambre au château. Ikpebo devait arriver seulement dans la soirée et en voiture : on lui avait prévu un comité d'accueil quand il se présenterait à la réception pour le conduire directement dans sa chambre. Quant à mon père, on lui avait réservé une suite dans les annexes du château.

– Et qu'est-ce que vous avez fait ?

Elle jubilait visiblement par avance de l'effet produit par sa réponse.

– Il se trouve que je les connais tous pour les avoir rencontrés à un moment ou à un autre, alors je les ai coincés les uns après les autres pour leur raconter ce qui se tramait. Les Ukrainiens à l'aéroport, le président au bar du casino, le joueur et sa sœur qui est aujourd'hui son agent et qui l'accompagnait, à son arrivée à l'hôtel.

– Comment ont-ils réagi ?

– Les Ukrainiens n'ont pas bronché mais je les ai sentis très vivement contrariés. Ils voulaient repartir. Puis ils m'ont posé beaucoup de questions sur les intentions de mon père. Ils voulaient savoir s'il était déjà sur place.

– Ils ne sont pas repartis ?

– Non. Ils m'ont dit que mon père était fou, que c'était un malentendu et qu'ils voulaient le voir pour lui parler.

– Et le président ?

– Il était pété quand je l'ai retrouvé. Il avait perdu depuis le début de la soirée. Il a essayé de me taper de 1 000 euros. Puis, il m'a dit que mon père était un enculé et qu'il ne l'emporterait pas au paradis.

– Ikpebo ?

– Je l'ai chopé à son arrivée au château avec sa sœur, désormais son agent, vers 23 heures. Je lui ai dit ce que mon père voulait révéler pour se dédouaner de ses accusations et comment il voulait le foutre dans la merde à propos du transfert qu'il est sur le point de réaliser avec le club turc de Galatasaray. Il m'en avait parlé quand le joueur l'avait mis en cause quelques semaines plus tôt dans une interview à *L'Équipe*. Il avait gardé son dossier médical et voulait en donner connaissance à ceux qui souhaitaient l'engager. Il a un problème de cartilages du genou. Sa carrière est finie. Sa sœur lui a demandé de traduire ce que je disais. Elle s'est énervée. Ils ont parlé dans leur dialecte, mais j'ai compris qu'elle était folle furieuse.

– Et alors, qu'est-ce que vous avez fait ? Vous aviez pris vous-même une chambre à l'hôtel ?

– Oui, mais sous mon nom d'artiste. Du temps où j'étais mannequin. Pour que ni mon père, ni la journaliste ne puissent s'apercevoir que j'étais là.

Elle déglutit difficilement. Elle perdit d'un coup toute sa superbe.

– Et c'est là où je crois que j'ai fait une connerie.

Mon rythme cardiaque s'est d'un coup accéléré. J'ai senti qu'elle allait me faire un aveu très grave. J'ai même cru qu'elle allait me dire qu'elle avait tué son père.

– Svetlana ? Qu'avez-vous fait ?

Elle soupira.

– Je suis allé frapper à la porte de sa chambre.

– En pleine nuit ? Et comment il a réagi ?

– Stupeur en me voyant.

– Dans quel but ?

– Pour lui dire que j'avais fait capoter son idée à la con. Je crois aussi pour lui dire tout ce que j'ai sur le cœur depuis des années. Qu'il a laissé tomber ma mère, qu'il ne s'est jamais occupé de moi et que pour finir il allait me pourrir la vie jusqu'au bout.

– Vous lui avez dit tout ça ?

– Tout.

– Et alors ?

– Il avait bu. Il est devenu comme fou. Il m'a insultée, menacée. Il a même essayé de me frapper.

– Qu'avez-vous fait ? Vous vous êtes défendue ?

– J'ai paré les coups et je me suis enfuie.

– Vous êtes sûre ?

Elle m'a regardé d'un air scandalisé.

– Évidemment ! Vous ne croyez quand même pas que c'est moi qui l'ai tué ?

Je ne croyais rien du tout. Mais si j'avais bien compris, on l'avait retrouvé mort au cours de la nuit. Et ce qu'elle venait de me raconter allait en faire sans doute la suspecte numéro un.

# 21

J'étais plongé dans un abîme de perplexité en regardant et écoutant cette femme. Mon expérience professionnelle m'avait appris que la personne en apparence la plus insignifiante était capable de commettre le pire meurtre. Je me suis évidemment demandé si elle n'avait pas tué son père. Elle scrutait mes réactions.

— Arrêtez de me regarder comme ça ! Je vous dis que je ne l'ai pas tué.

— Et après, que s'est-il passé ?

— J'ai regagné ma chambre ne sachant plus très bien quelle conduite tenir. J'ai failli repartir et puis j'étais crevée. J'ai décidé de me reposer et de ne rentrer à Paris qu'au petit matin. Mais juste avant de m'en aller, j'ai voulu m'offrir un dernier petit plaisir. J'ai appelé dans sa chambre la connasse qui avait organisé cette corrida pour lui dire qu'elle pouvait demander à son équipe de remballer les micros et les caméras, que j'avais prévenu tout le monde du piège et que son plan allait tourner au fiasco.

— Comment a-t-elle réagi ?

Elle eut un ricanement.

— À votre avis ? Elle était folle de rage. Elle m'a insultée, et je lui ai raccroché au nez.

— Et ensuite ?

– Ensuite ? Elle a appelé mon père dans sa chambre sans doute pour le prévenir de ce que sa fille avait fait. Elle a appelé, appelé et comme il ne répondait pas, elle est allée le voir pour lui parler. Et quand elle est arrivée, la porte était entrouverte. Elle est entrée et c'est là qu'elle l'a découvert, baignant dans une mare de sang. Ses cris ont réveillé tout l'hôtel et en quelques minutes, nous nous sommes tous retrouvés sur place.

Visiblement, l'évocation de cette scène la secouait. Elle se ressaisit très vite et termina par une pirouette.

– Cette débile avait quand même réussi à réunir presque tout le monde : en présence du directeur de l'hôtel qu'elle avait ameuté, il y avait les deux présidents de club, le joueur et moi. Ne manquait que le cameraman et à donner le clap de démarrage du tournage.

J'étais tellement absorbé par le récit de Svetlana que je n'avais même pas fait attention aux serveurs qui nous présentaient nos soles accompagnées de topinambours braisés au jus truffé. Le sommelier me fit déguster une gorgée de puligny que je ne trouvai pas assez frais à mon goût. Je lui demandai de remettre la bouteille dans le seau à glace puis jetai un œil sur la jeune femme qui avait repris ses esprits et entreprenait de manger délicatement son poisson. J'en fis de même et attendis que nous ayons suffisamment avancé dans notre dîner pour reprendre le fil de son histoire.

– Que s'est-il passé ensuite ? Je suppose que la police est arrivée assez vite et que vous avez été interrogés ?

Elle se redressa et gloussa :

– Il y a d'abord eu un vrai psychodrame. Une explication orageuse entre ceux qui étaient là. Chacun reprochant à l'autre d'être à l'origine de ce qui venait de se passer. Puis tous se coalisant pour insulter la journaliste, l'accusant d'avoir voulu les diffamer et la menaçant de la poursuivre en justice.

Cette fois, elle éclata franchement de rire.

– Cette conne était vraiment dans ses petits souliers… elle a éclaté en sanglots et gémissait comme un veau.

Cette fille était vraiment insaisissable. Je n'arrivais pas à me faire une idée sur son degré de sincérité, d'émotivité. Et pourquoi était-elle venue me voir pour que j'assure sa défense si elle n'était pour rien dans la mort de son père ?

– Svetlana ? Vous m'avez tout dit ?

Elle prit un air amusé.

– Bien sûr, mon cher maître.

Je pris le temps de goûter un peu de ce nectar bourguignon désormais à température idéale, avant de lui poser la question qui me brûlait les lèvres.

– Si les choses se sont passées comme vous me le dites, de quoi avez-vous peur et pourquoi avez-vous besoin d'un avocat pour vous défendre, vous ?

À son tour, elle dégusta longuement une gorgée de puligny et prit un ton confidentiel en se penchant vers moi.

– Pour deux raisons : d'abord, parce qu'on pourrait très bien m'accuser du meurtre d'Ivanovitch, vu l'état de nos relations. Parce que je suis sans doute la dernière à l'avoir vu avant qu'il ne soit assassiné et que je me suis engueulée avec lui. Et comme je risque d'être mise en cause, mais que je suis innocente, il me faut le meilleur des avocats. Et le meilleur, on m'a dit que c'était vous.

– Et pourquoi avez-vous peur pour votre vie ?

– Parce que je pense que le mobile du crime c'était de récupérer le livre et les preuves que mon père allait apporter à son appui. Ou alors la copie du dossier médical d'Ikpebo.

– Et alors ?

– Tout ça figurait dans son ordinateur portable.

– Qu'est-ce que vous voulez dire ?

– Que celui qui a tué a voulu récupérer ces preuves et que s'il ne les a pas trouvées il sera prêt à tuer encore pour les avoir.

– Qu'est-ce qui vous dit qu'il ne les a pas trouvées ?

Cette fois, Svetlana n'était plus du tout rigolarde. Son regard s'était à nouveau durci comme tout à l'heure dans le bar. Elle murmura plus qu'elle ne parla.

– Nous sommes bien d'accord sur le fait que vous êtes soumis à un secret professionnel inviolable, quelles que soient les circonstances. Que vous ne pourrez jamais révéler ce que je vous dis sous le sceau du secret puisque je suis désormais votre cliente ?

Avant même de lui répondre, j'avais cru comprendre ce qu'elle allait me révéler.

– C'est exact.

– C'est moi qui ai pris l'ordinateur.

Décidément, j'allais de surprise en surprise. Et les aveux de la jeune femme m'avaient complètement déstabilisé. Je restai quelques instants bouche bée, m'assurant que personne n'avait pu surprendre notre conversation. À mon tour, je me penchais vers elle en empruntant un ton confidentiel.

– Mais vous êtes folle ! Vous vous rendez compte des conséquences ? Mais comment avez-vous fait ça ?

Tandis que le maître d'hôtel nous observait, s'imaginant sans doute que nous échangions des mots tendres ou des obscénités, elle me murmura presque à l'oreille :

– Ça ne s'est pas tout à fait passé comme je vous ai dit. En fait, il y a eu non seulement une explication houleuse mais aussi un petit échange de coups. Je lui ai porté une violente gifle qui lui a cassé ses lunettes et l'a blessé à l'œil. Il n'y voyait plus rien et est parti à la salle de bains en marmonnant qu'il lui fallait du collyre. C'est à ce moment-là que j'ai vu son ordinateur posé sur le sol à côté de sa table de nuit. Je ne sais pas ce qui m'a pris. Je l'ai ramassé et suis partie avec sans attendre qu'il ressorte de la salle de bains.

– Mais pourquoi avez-vous fait ça ?

– Je ne sais pas. Par réflexe. Et puis aussi, sans doute, parce que je me suis dit que s'il ne l'avait plus, il ne pourrait plus risquer de tout foutre en l'air avec ses idées folles.

– Et qu'est-ce que vous en avez fait ?

– Je l'ai mis en lieu sûr.

– Vous vous rendez compte que si on établit que c'est vous qui l'avez pris ça confortera les charges contre vous ?

Elle se recula légèrement et retrouva un léger sourire.

– Là où il est personne ne risque de le retrouver.

J'étais en train de remettre mes idées en place quand je la vis regarder sa montre, puis se lever.

– Voilà, vous savez tout et je compte sur vous pour me sortir de là. Personne à part vous ne sait que je suis au Sofitel. La police a pris mon numéro de portable et m'a demandé de ne pas quitter la ville au cas où ils auraient besoin de m'entendre. Tous les autres ont été consignés au château de Bagnols. S'ils veulent m'interroger, je vous appelle et ne dis rien tant que vous ne serez pas là.

Puis elle se pencha vers moi en m'adressant un regard complice :

– Vous m'avez dit que vous n'aviez pas beaucoup de temps ce soir. Un rendez-vous galant, je présume ? Dommage…

Elle se leva, et tandis qu'elle s'éloignait en ondulant sur ses hauts talons, le maître d'hôtel me jeta un regard plein de commisération sans doute convaincu qu'en dépit de mes efforts, je venais de me prendre un beau râteau.

# 24

Je quittais le parking souterrain du Sofitel quand mon téléphone bipa. C'était un texto de Svetlana : « Merci pour cette soirée et votre aide… j'espère qu'il y en aura d'autres… on n'a pas parlé honoraires mais ne vous faites aucun souci de ce côté-là : votre prix sera le mien. »

La ville était presque déserte à cette heure tardive et je n'ai mis que quelques minutes pour rallier mon cabinet. Comme j'avais prévenu Claire Dalbret de mon arrivée, j'ai été surpris en y pénétrant de constater qu'aucun des bureaux n'était éclairé. J'ai donc mis la lumière dans le hall avant de l'appeler pour m'assurer qu'elle était déjà là. Pas de réponse. Mais il m'a semblé entendre un bruit provenant de la pièce qu'elle occupait à côté de la salle de réunion. Appelant à nouveau, j'y suis entré tout en appuyant sur l'interrupteur.

Je l'ai découverte prostrée, non pas sur le fauteuil derrière son bureau, mais sur un des sièges habituellement dévolus aux clients. Elle avait la tête dans les mains et visiblement elle était en train de pleurer. Je me suis approché d'elle et elle s'est redressée. Elle était méconnaissable. Son teint était encore plus pâle qu'à l'habitude, elle avait les traits fatigués et le rimmel qui

avait coulé dessinait sur ses joues des dessins ridicules.
C'est elle qui a parlé la première :

– Maître Lucas, c'est terrible... j'ai trahi votre
confiance... et je crois que ma carrière est terminée.

Elle avait dit ça d'une voix tremblante et sans me
regarder. J'ai tout de suite compris que ce qu'elle avait
dû faire était grave mais je n'arrivais pas à imaginer
ce que cela pouvait être. Claire m'avait rejoint très peu
de temps après sa prestation de serment. Elle s'était
avérée une précieuse collaboratrice. Dévouée, pas-
sionnée, toujours prête à partir aux quatre coins de
la France pour me remplacer chez un juge d'instruction ou pour une audience. Comme c'était une grande
femme, un peu forte, elle en imposait même à mes
clients les plus difficiles à gérer. Elle plaidait bien et
était estimée aussi bien des confrères que des magistrats. Elle me paraissait une fille équilibrée, même si
sa séparation d'avec son compagnon quelques mois
plus tôt l'avait perturbée. Ils s'étaient connus sur un
site de rencontres mais donnaient l'impression d'un
couple solide. J'avais d'excellents rapports avec lui,
Florent Taupin, un détective privé très compétent à
qui je faisais appel ponctuellement et qui m'avait été
d'une aide précieuse dans l'affaire Brochard. Un soir
de confidences, après les rendez-vous, elle m'avait
appris qu'ils s'étaient séparés. C'est lui qui était parti.
Elle m'avait fait un peu de peine en me disant qu'elle
le comprenait parce que « l'autre », celle pour qui il
l'avait quitté, « était bien plus jolie qu'elle ». Elle ne
voulait pas que ça change mes rapports avec lui et
que ça ne l'ennuierait pas si le cabinet continuait à lui
confier des enquêtes. Je lui avais remonté le moral,
lui assurant que les hommes manquaient souvent de

perspicacité dans leurs rapports amoureux, que j'en étais un triste exemple. Moi qui ne fais jamais de confidences, je lui avais révélé que ma femme m'avait quitté et que ça ne m'avait pas empêché de survivre. Ça l'avait fait sourire et elle était repartie un peu reboostée. Du moins, c'est ce que j'avais cru. J'avais quand même noté au cours des semaines suivantes une sorte de mélancolie. Et puis, quelque temps plus tard, elle avait retrouvé son enthousiasme et le goût de plaire. J'avais noté qu'elle avait changé de look, choisissant des tenues plus « mode » et qu'elle avait adopté pour ses cheveux un roux léger. Avec son teint pâle et ses yeux bleus, elle faisait très irlandaise. Bref, réaction très masculine, je m'étais dit qu'elle devait à nouveau être amoureuse.

– Claire ? Qu'est-ce qui se passe ?

Elle avait le regard dans le vide et me donnait l'impression d'être au bord de l'évanouissement. Je lui ai fait signe d'attendre pour me parler que je lui rapporte un verre d'eau.

Elle l'a bu d'un trait. Elle a secoué la tête comme un boxeur dans les cordes qui cherche à reprendre son souffle. Elle m'a enfin regardé et j'ai lu dans ses yeux de la détresse et de la peur. J'ai cherché à la rassurer pour qu'elle me raconte.

– Calmez-vous, Claire. Je suis là. Dites-moi ce qui arrive. Ça a un rapport avec votre convocation par la police ?

Je ne fus pas surpris de la voir secouer positivement la tête.

Elle déglutit et prit une profonde inspiration.

– Je ne sais pas trop par où commencer. Mais il faut que je vous dise, ça fait des mois que je voulais vous en parler, mais je n'ai jamais réussi à le faire. J'avais trop honte et je ne savais plus comment sortir de la merde dans laquelle je m'étais mise. Et puis j'avais peur que vous me viriez.

## 25

Décidément, la journée se terminait aussi mal qu'elle avait commencé. Après avoir dû assister ma secrétaire mise en cause dans une affaire d'assassinat, voilà que ma collaboratrice risquait d'être impliquée dans je ne savais pas encore quoi, mais dont je devinais que c'était grave. Très égoïstement, j'étais déjà en train de calculer dans ma tête comment j'allais pouvoir gérer tout ça au niveau du cabinet.

C'est moi qui, cette fois, ai repris mon souffle pour la faire parler.

– Allez-y, Claire, je vous écoute. Vous savez que je peux tout entendre. Simplement, ne faites pas comme nos clients : si vous voulez que je vous aide, dites-moi tout et ne me cachez rien.

Elle approuva.

– Oui, oui, je vais tout vous dire et n'hésitez pas à m'interrompre si je ne suis pas claire. Tout a commencé avec ma désignation dans l'affaire Adana Hojda, la jeune Albanaise qui était accusée d'avoir empoisonné sa copine. J'étais vachement heureuse qu'elle m'ait choisie pour sa défense, car c'était ma première grosse affaire d'assises. Naturellement, je lui ai demandé pourquoi elle m'avait pris comme avocat et elle m'a dit que mon nom lui avait été donné par un des enquêteurs qui l'avait interrogée en garde à vue. Il lui avait dit que son affaire était grave et qu'il fallait qu'elle prenne un bon avocat pénaliste. Elle avait entendu parler de vous et avait envisagé de vous désigner. Elle l'a questionné, mais il lui a objecté que vous étiez sûrement trop cher pour elle et puis qu'il valait sans doute mieux une femme. Et que je travaillais dans votre cabinet et qu'en cas de besoin vous pourriez toujours me donner de bons conseils.

Jusque-là, rien de très extraordinaire. Pendant très longtemps, j'avais moi aussi interrogé mes nouveaux clients pour savoir comment et pourquoi ils m'avaient choisi : bouche à oreille, recommandation par un ancien client, un codétenu, un enquêteur voire un magistrat, puis, avec la notoriété, un article de presse, une émission de télévision.

– Dans un premier temps, elle m'a demandé si j'acceptais de la défendre dans le cadre de l'aide juridictionnelle car elle n'avait pas d'argent et pas de famille pouvant participer au paiement de mes honoraires. Compte tenu de l'intérêt de l'affaire, j'ai bien sûr accepté. L'instruction a démarré et j'ai pu vérifier que cette fille était effectivement très seule puisque, à l'occasion de son interrogatoire de curriculum vitae, il s'est avéré qu'elle avait été abandonnée par sa mère et avait été élevée dans différentes familles d'accueil avant d'arriver en France. Très tôt, elle avait eu des problèmes de délinquance et de violences de plus en plus graves. Pour résumer, mais vous connaissez ça par cœur, peur d'être abandonnée et intolérance à la frustration. C'était d'ailleurs toute l'histoire du crime qu'elle avait commis. Elle vivait en couple avec une fille un peu marginale comme elle : elle avait voulu la quitter, elle ne l'avait pas supporté et elle l'avait tuée. Mais j'en reviens à l'histoire de sa famille, ça vous ennuie de me rapporter un verre d'eau ? J'ai très soif, mais si je me lève, j'ai peur de tomber par terre.

J'ai eu vite fait de retourner aux toilettes pour lui remplir un verre, tout en consultant ma montre. Il était déjà 23 h 45. La nuit allait être courte. Retour auprès de Claire, qui vida à nouveau d'un trait le gobelet en plastique. Elle paraissait avoir retrouvé ses esprits et j'attendais avec inquiétude qu'on aborde enfin le vif du sujet. Visiblement elle essayait de mettre de l'ordre dans ses idées avant de reprendre son récit.

— Voilà, c'est quelques mois après son incarcération que se sont produits plusieurs événements qui auraient dû m'alerter. D'abord, elle a demandé à être mise en cellule avec Sabrina, la fille qui avait tué le mari de Dolorès, ce qui lui a été accordé pour je ne sais quelle raison. Et puis c'est à ce moment-là qu'est apparu Kevin, son demi-frère qui a pris rendez-vous avec moi au cabinet.

— Vous m'aviez dit qu'elle n'avait pas de famille.

— J'y arrive. Quand il prend rendez-vous et qu'il vient, c'est la première question que je lui pose. Il n'est pas du tout perturbé par mes interrogations et me fait « la mayonnaise ». Ils ont été séparés dans leur petite enfance, il l'a recherchée, il l'a retrouvée, il veut l'aider. Il est prêt d'ailleurs à payer mes honoraires.

— Il en a les moyens ?

— Oui. Il m'explique qu'il est militaire de carrière, à la Légion étrangère qu'il part souvent en opérations, il est souvent absent, mais il gagne très bien sa vie. Et d'ailleurs, il m'a apporté une provision.

Claire se reprit la tête dans les mains.

— Il m'a donné tout de suite 5 000 euros. En espèces. Je n'avais jamais reçu une telle provision pour mes dossiers perso.

Elle fit une pause et me fixa avec un regard de chien battu.

– C'est là que ça se complique. Je ne sais pas trop comment vous expliquer la suite.

Puis, tout en secouant la tête, et se parlant à elle-même :

– Je ne comprends pas encore aujourd'hui comment j'ai été assez conne pour me fourrer dans une merde pareille. Voilà, je lui avais laissé mon numéro de portable et assez rapidement, il a commencé à m'envoyer des textos un peu ambigus.

– Du genre ?

– Je ne me souviens pas des termes exacts, mais, au début, c'était surtout pour me remercier de le recevoir si longuement, de m'occuper tellement bien de sa chère sœur, me féliciter pour ma compétence, mes analyses.

– Rien de très grave et même que de très banal pour le moment. Et ensuite ?

– Il a commencé à me draguer. Jamais lors des rendez-vous, toujours par textos. Il me parlait de tout, de moi, de mes tenues, de ma « fragilité » qu'il devi-nait mais que je masquais par un professionnalisme remarquable. Au début, j'ai résisté. Je ne lui répondais pas et lorsqu'il venait en rendez-vous, je lui reprochais gentiment ses messages lui faisant remarquer que j'étais l'avocate de sa sœur et que nos rapports devaient rester professionnels, que le mélange des genres ne pouvait qu'être préjudiciable à sa défense. Et chaque fois, il battait en retraite, s'excusant, m'assurant qu'il ne m'en-nuierait plus avec ses états d'âme. Et puis, le lendemain et même quelquefois le soir même, il recommençait.

– Vous n'avez pas essayé de le décourager en lui disant que vous étiez en couple ?

Claire poussa un soupir de découragement.

– Justement, je ne l'étais plus. Nous venions de nous séparer avec Florent. Quand il est devenu trop pressant, j'ai voulu utiliser cet argument mais il m'a répondu qu'il savait que c'était un gros mensonge et que j'étais seule. Était-ce du bluff ou s'était-il renseigné ? Dans ce cas, ça aurait dû m'alerter.

Je pressentais la suite mais ne devinais pas encore comment tout ça pouvait avoir eu des conséquences dramatiques. J'observais ma collaboratrice et imaginais très bien quelle proie facile elle avait pu être pour un séducteur un peu habile.

Mal dans sa peau, déstabilisée par une rupture où elle avait été quittée, elle n'avait pas dû résister longtemps.

– Il était comment ce type ?

Un pâle sourire éclaira son visage et la réponse fusa.

– Toutes les qualités !

J'ai compris à ce moment-là qu'elle avait dû être très amoureuse.

– La quarantaine, beau mec, des yeux très bleus. Il était entouré de mystère. Il a fini par me confier qu'il servait dans les forces spéciales et il en avait le physique. Un mec dont une fille comme moi ne peut même pas rêver. Et j'ai fini par craquer. Un soir où j'étais seule chez moi, il a recommencé son cirque. Il m'a envoyé des dizaines de SMS. Et comme une conne, je suis rentrée dans le jeu. Au bout de deux heures, j'étais tellement excitée que j'ai accepté de le rejoindre dans une chambre d'hôtel.

Visiblement, l'évocation de ce moment la troublait encore aujourd'hui. Elle me fixa cette fois avec un air désespéré.

– Je vous le dis à vous, je ne l'ai jamais dit à personne, mais j'ai vécu une nuit de folie avec ce type. Je n'avais jamais connu ça. Et à partir de cette nuit, je n'ai plus pu m'en passer. J'étais complètement addicte. Était-ce de l'amour ou étais-je devenue accro au sexe avec lui ? En tout cas, il me fallait ma dose.

– Claire, vous ne m'avez pas fait venir pour me raconter vos histoires de cul ? Qu'est-ce qui s'est passé ensuite, qu'est-ce qui vous met dans cet état et quelles conneries il vous a fait faire ? Car c'est bien de ça dont il s'agit, non ?

Elle ricana.

– Vous ne comprenez pas ? J'ai perdu la tête et j'ai fait des choses qu'il ma demandées et que je n'aurais jamais dû faire.

– Mais quoi ?

– J'ai fait passer des trucs en prison à sa sœur.

Le fondement essentiel de la profession d'avocat,
c'est le respect des règles. Des règles déontologiques,
éthiques qui nous sont fixées. Et naturellement un respect
scrupuleux de la loi. Les avocats pénalistes sont particulièrement exposés et la fréquentation des délinquants
requiert une vigilance et une prudence permanentes.
Le monde a bien changé et beaucoup de frontières
sont tombées. Le respect se perd et dans le nouveau
monde des voyous on menace les policiers, les magistrats, et même les avocats. Le tutoiement est devenu
l'usage, voire les embrassades, au point que certains
peuvent considérer qu'un avocat n'est pas seulement
un « conseil », mais une sorte d'égal qui pourrait aussi
être un ami et, pourquoi pas, un complice. Chez certains
délinquants d'aujourd'hui que leurs trafics ont rendus
fabuleusement riches, on s'achète un avocat comme
on se paie une voiture de grand luxe. On le rémunère
avantageusement, mais on lui impose une obligation
de résultat, quels que soient les moyens. Malheur à
celui qui accepte ce dangereux « deal ». Ça n'est pas
ma conception du métier. Je passe ma vie à expliquer à
ceux qui me demandent de les défendre que je le ferai
bec et ongles puisqu'ils me font confiance, sans états
d'âme, jusqu'au bout de mes possibilités. Mais que je le

ferai dans le respect des règles. Celui qui trahit la règle bascule dans un autre monde et perd sa crédibilité et son honneur d'avocat. À cet instant, même si cela m'a fait très mal pour elle, pour moi, et quelles que soient les raisons de son geste, j'ai « perdu » ma collaboratrice. J'ai su que nous ne pourrions plus travailler ensemble. Que même si mon instinct d'avocat me poussait à la comprendre et à l'aider à sortir du guêpier dans lequel elle s'était mise, elle avait commis une faute qui la disqualifiait pour continuer d'exercer. En tout cas, avec moi. Restait à mesurer l'ampleur du désastre.

Claire m'entendait et me voyait penser.

– Ce qui me détruit le plus, c'est que j'ai trahi votre confiance. Cent fois, mille fois, vous m'avez mise en garde contre les dangers de ce métier. Et chaque fois, je me suis dit que vous exagériez, que j'étais une grande fille. Eh bien, j'ai craqué, j'ai fait n'importe quoi. Et j'ai peur qu'aujourd'hui les conséquences soient terribles pour moi et pas seulement pour moi.

– Qu'est-ce que vous avez fait passer ?

La malheureuse se tordait compulsivement les mains.

– D'abord, presque rien. Des messages qui me paraissaient anodins. Puis, du parfum, ce qui paraissait toujours anecdotique.

– Anecdotique ? Mais vous avez perdu la tête !!

– Complètement. Mais ça c'est rien.

– Vous me faites peur ! Quoi d'autre ?

– Pour bien comprendre, il faut que vous sachiez qu'il m'a fait goûter à la drogue. D'abord, du hash mais ça ne me faisait pas beaucoup d'effet. Ça me donnait envie de gerber. Et puis ensuite de la coke. Là, j'ai aimé. Je planais complètement. J'étais totalement sous son emprise. Il a commencé à me dire que ça ferait du bien à sa sœur si je pouvais en passer. Je ne voulais pas. Et puis j'ai encore craqué. Un jour, il m'a convaincue de le faire. Elle stoppa son récit. Resta quelques instants comme hébétée, perdue dans ses pensées, avant de finir de vider son sac.

— Non, je vais trop vite. J'ai d'abord fait passer une puce et puis de la poudre que j'ai cru être de la cocaïne.

— Et c'était quoi ?

Cette fois, elle éclata en sanglots.

— Je ne sais pas. Mais, coïncidence ou conséquence, quelques jours plus tard, sa compagne de cellule, la tueuse du mari de Dolorès a été retrouvée morte... empoisonnée.

C'était encore pire que ce que je craignais. Ma collaboratrice allait donc se retrouver peut-être impliquée, elle aussi, dans une affaire d'assassinat. J'avais du mal à mettre mes idées en ordre, mais je ne pouvais pas ne pas faire le lien entre la reprise de l'enquête sur la mort du mari de Dolorès et celle sur les circonstances du meurtre dont avait été victime, en prison, celle qui l'avait tuée. Si les policiers voulaient entendre Claire Dalbret, c'était sûrement à ce sujet. Que savaient-ils ? En quelle qualité allaient-ils l'entendre ? Témoin dans le cadre d'une audition libre ? Garde à vue ? Il fallait de toute façon parer au plus pressé. Assurer la défense de Claire Dalbret, mais il me paraissait difficile que ce soit moi qui m'y colle. Si les deux affaires étaient liées et que j'intervienne pour Dolorès et elle, les enquêteurs et les magistrats trouveraient ça louche. Je risquais à un moment où à un autre le conflit d'intérêts. Et puis, je n'oubliais pas que le lendemain matin je devais être aux côtés de Dolorès et je ne pourrai pas me couper en deux.

J'entrepris d'expliquer tout ça à ma collaboratrice qui, en bonne professionnelle, acquiesça à la stratégie proposée.

– Claire. Regardons la situation en face. S'ils vous convoquent, c'est qu'ils doivent avoir des éléments le justifiant. Il est donc vraisemblable qu'on se dirige vers une garde à vue. Si c'est le cas, ou même une audition libre, faites valoir votre droit au silence en vous retranchant derrière le secret professionnel. Question idiote : s'ils perquisitionnent chez vous ou au cabinet, ils ne risquent rien de trouver d'embêtant ?

– Qu'est-ce que vous voulez dire ?

– Je ne sais pas moi. De la drogue ? Des trucs en lien avec ce type ?

Elle réfléchit quelques instants.

– Non, il n'est jamais venu chez moi.

– Et vous en êtes où avec lui ?

– Tout de suite après la mort de Sabrina, il a pratiquement disparu de la circulation, prétextant une mission au Mali. Il ne répondait plus à mes messages. Puis, il m'a expliqué que ce serait mieux qu'on prenne un peu nos distances suite à ce qui était arrivé. Et pour finir, plus aucun contact et son téléphone ne répondait plus. Je me suis bien fait baiser, c'est le cas de le dire, non ?

– Et votre cliente ? Qu'est-ce qu'elle va raconter si on l'interroge ?

– Ma cliente ? Je l'ai fait sortir grâce à un vice de procédure et depuis qu'elle est dehors, je n'en ai plus entendu parler.

J'avais beaucoup d'autres questions à lui poser, mais il était déjà très tard ou plutôt très tôt. On verrait les détails plus tard. L'urgence c'était de trouver un confrère pour l'épauler et avec qui je pourrais à la fois collaborer pour aider Claire à sortir de là et travailler en confiance si cette histoire était liée au dossier qui pouvait impliquer Dolorès. Il me fallait trouver quelqu'un susceptible d'être opérationnel dès le lendemain matin. Or, il était pratiquement une heure du mat. Qui peut lire ses messages la nuit, ou tôt le matin ? Un pénaliste, jeune, prêt à partir aux quatre coins de la planète pour une affaire intéressante. J'ai tout de suite pensé à Julien Couderc.

J'avais rencontré pour la première fois ce garçon aux obsèques de mon vieux maître Alexandre Blondel. Il s'était retrouvé en charge de la défense de Nicolas Dagobert, le greffier qui avait été mis en examen suite au procès du bâtonnier Brochard. Je lui avais promis mon aide s'il en avait besoin et il l'avait acceptée. Nous avions passé de nombreuses heures sur le dossier et ce Julien m'avait conquis. Je m'étais reconnu en lui avec vingt ans de moins. Le même enthousiasme, la même soif d'apprendre, la même petite flamme à l'intérieur qui fait les grands avocats. La même mauvaise foi, aussi. Il avait plaidé brillamment aux assises et obtenu l'acquittement de son client. Ainsi, l'affaire du meurtre de Ghislaine Labreuil resterait sans solution judiciaire, même si, en ce qui me concernait, je n'avais guère de doute sur l'auteur du crime. Depuis, il me consultait régulièrement pour que je lui donne des avis et je lui envoyais toutes les affaires que je ne pouvais pas prendre. Je lui ai adressé un texto, comme on jette une bouteille à la mer, en lui demandant de me contacter même très tôt le matin, pour que je lui confie un dossier important qui requérait qu'il intervienne d'urgence. Je n'ai pas eu le temps de remettre mon Iphone dans ma poche qu'il me rappelait. Il m'a expliqué que son mobile était toujours près de lui et qu'il venait seulement de rentrer du cabinet. Je lui ai demandé si on pouvait se retrouver à 7 h 30 et s'il était disponible dans la foulée pour une éventuelle garde à vue. Il m'a répondu qu'il serait toujours là pour moi. J'ai pu aussitôt rassurer

Claire et l'ai renvoyée chez elle se reposer un peu dans la perspective de ce qui serait sûrement une rude journée. Et nous sommes convenus de nous retrouver vers 7 h 30 au cabinet.

## 28

Comme je l'avais pressenti, la nuit fut très courte. Le temps de rentrer chez moi, de prendre une douche brûlante, je me suis retrouvé au lit vers 2 heures du matin. Et même si cette journée avait été épuisante, le sommeil n'est pas venu. Trop de choses tournaient dans ma tête. Le sort de ces deux femmes qui me permettaient d'exercer mon activité avec un peu de sérénité et qui devaient toutes deux vivre une nuit d'angoisse. Je sentais que je risquais de les perdre toutes les deux et, un peu égoïstement, que j'allais me retrouver professionnellement dans une situation impossible. Comment étais-je passé à côté pour Claire ? Qu'allait-elle devenir si la police avait des preuves de ses agissements ? J'imaginais déjà le pire : la prison, les titres dans les journaux, la honte. La malheureuse n'y survivrait pas.

Et Dolorès ? La troublante et mystérieuse Dolorès sur laquelle je m'appuyais désormais totalement. Était-elle pour quelque chose dans le meurtre de son mari ? Qui avait pu commanditer l'assassinat de Sabrina, qui était ce faux demi-frère ? Je me torturai l'esprit pour essayer de me souvenir si je n'avais pas pu le croiser au cabinet quand il venait en rendez-vous pour rencontrer Claire ? Et quand tout ça cessait de tourner remontaient en surface les soucis quotidiens : les dossiers à plaider pour les semaines suivantes dont je n'avais pas encore ouvert, pour certains, la première page. Le SMS de ma banquière me demandant quand je comptais déposer des chèques sur mon compte car j'avais dépassé mon découvert. Le propriétaire des locaux qui voulait augmenter les loyers.

La régularisation de l'URSSAF à payer d'ici le 10. Et ma mère qui me demandait quand je pensais passer l'embrasser. Ma fille qui m'annonçait qu'elle avait rencontré un garçon fantastique (un de plus, pensais-je) qu'elle voulait me présenter. Et mon ex qui me demandait d'intervenir parce que justement ce type lui faisait une très mauvaise impression et qu'il fallait faire quelque chose.

J'ai arraché la couette et je me suis levé. Il devait être 5 ou 6 heures du matin. De toute façon, je n'arriverai pas à dormir. J'ai croisé Johnny, mon vieux chat, qui miaulait parce que j'avais oublié de lui fournir ses croquettes. Je me suis excusé auprès de lui, ce qui était le signe que je perdais un peu la tête, lui ai rempli sa gamelle et me suis servi un double café fort sur ma machine Nespresso. Je refaisais un peu surface quand j'ai entendu l'arrivée d'un message sur mon téléphone que j'avais emporté avec moi, comme toujours, pendant toute cette expédition. C'était Svetlana ! Je l'avais oubliée celle-là dans mes délires de la nuit. Le texto disait : « Vous dormez ? » J'ai failli lui répondre : « Ouiiiiiiiiiii ! Lâchez-moi ! » Mais trente secondes plus tard, tombait un second SMS : « Dommage ! suis en train de découvrir des trucs de fou sur l'ordinateur d'Ivanovitch. Faut qu'on en parle. Vite. » J'ai cru rêver. Cette folle qui m'avait dit avoir planqué l'ordinateur qu'elle avait dérobé à son père devait être en train de le décortiquer dans sa chambre d'hôtel. Si les flics déboulaient au petit matin, elle était perdue. Tant pis pour elle. On verrait le problème plus tard. En attendant, nouvelle douche, café, et retour au cabinet pour organiser les combats de la journée.

## 29

Ce qui est bien avec les gens intelligents, c'est qu'on n'a pas besoin de leur expliquer cent fois les mêmes choses. En quelques minutes, Julien Couderc avait tout capté. Il avait rassuré Claire Dalbret, qui avait repris figure humaine et moi, par la même occasion, qui savait désormais qu'il allait pouvoir gérer cette partie de nos problèmes. Je n'étais pas rentré dans les détails sur le volet Dolorès, mais n'avais pas exclu devant lui que les deux affaires puissent être liées. Julien ne le montrait pas trop mais je le sentais très excité à l'idée d'intervenir dans ce qui risquait d'être un très gros dossier. Même si, depuis l'acquittement de Dagobert, il avait franchi une étape, son ambition le poussait à se confronter à toujours plus difficile. Ça allait être une bonne occasion.

Nous allions donc nous retrouver les uns et les autres dans les mêmes locaux, à Marius-Berliet, à quelques minutes d'intervalle. Un SMS avait confirmé la convocation de Claire à 8 h 45 et un appel pour la reprise des auditions de Dolorès à 10 h. Ne sachant pas encore sous quel régime ma collaboratrice devait être entendue, il était convenu qu'elle s'y rende d'abord seule et qu'en cas de garde à vue elle fasse appeler Julien Couderc, qui se tenait prêt. C'est, comme je le craignais, ce qui s'est passé. À peine s'était-il mis en route que je recevais un appel du bâtonnier qui venait d'être informé par le parquet que ma collaboratrice était mise en garde à vue et qu'une perquisition était envisagée à mon cabinet, sans doute en début d'après-midi. L'horizon s'assombrissait pour Claire. J'ai confirmé au bâtonnier que je serai présent. Ce qu'il a ajouté a fini de m'inquiéter :

– Oui. Tenez-vous bien disponible parce que je n'ai pas très bien compris ce qu'ils m'ont dit au parquet, mais ils envisageraient une double perquisition à votre cabinet.

Ça signifiait qu'ils allaient aussi venir pour Dolorès. J'ai filé à l'hôtel de police pour la retrouver pour son interrogatoire. Arrivé à l'accueil, avec un peu d'avance, j'ai remis comme d'habitude ma carte professionnelle à une fonctionnaire qui m'a fait signe d'attendre, car on lui avait demandé d'appeler dès mon arrivée. J'ai commencé à faire les cent pas quand une des portes latérales s'est ouverte et que j'ai vu s'avancer vers moi un homme d'une cinquantaine d'années que j'ai tout de suite reconnu. C'était un ancien confrère de Grenoble dont je savais qu'il avait intégré la magistrature et qu'il était au parquet de Clermont-Ferrand. Alors que nous n'avions fait que nous croiser professionnellement, il s'est tout de suite montré chaleureux en me tendant la main.

– Lucas, comment vas-tu ? Quel plaisir de se retrouver.

Je suis resté un peu interloqué, mais suis tout de suite tombé dans son jeu, le tutoyant comme si c'était, lui aussi, un vieux copain.

– Bien. Et toi ? Qu'est-ce que tu fous là ?

Il me gratifia d'un clin d'œil complice.

– Devine ! Je suis là pour un gros dossier.

Comme je ne réagissais pas, il ajouta :

– Un gros dossier, puisque que tu es dans cette affaire !

Puis sur un ton plus confidentiel :

– Je suis venu pour la prolongation de la garde à vue de ta secrétaire. Tu as cinq minutes ?

J'avais tout le temps puisqu'il avait dû prévenir les enquêteurs qu'il me court-circuiterait à mon arrivée et que les autres n'allaient pas entendre Dolorès sans moi. Je lui ai répondu en me reprochant intérieurement mon hypocrisie.

– Évidemment, j'ai cinq minutes. C'est un tel plaisir de te retrouver.

# 30

Quand on a un peu de notoriété, la plupart des gens aiment bien montrer qu'ils vous connaissent. Je découvre tous les jours des types qui ont fait leur service militaire en même temps que moi (alors que j'ai été réformé... et même P4, je crois) ou ont été à la fac avec moi et se souviennent que j'étais déjà très brillant, alors que j'étais un vrai glandeur. Le procureur faisait partie de cette catégorie de professionnels qui devaient se targuer de me connaître parfaitement, d'avoir plaidé cent fois à mes côtés quand il était avocat ou contre moi... et, en dépit de mon talent, de s'en être toujours tiré à son avantage. J'avais trouvé sa main moite et molle. Je n'aimais pas son eau de toilette et, en le suivant, j'ai remarqué qu'il portait des Mephisto de médiocre qualité.

Il m'a fait pénétrer dans une petite pièce, en s'excusant :

— Comme je squatte ici pendant le temps des gardes à vue, ils m'ont refilé un bureau merdique...

Et comme je soulignais hypocritement que la vie de magistrat n'était pas toujours rose, il m'a rétorqué, presque agressif :

— Tu sais, je ne regrette pas d'avoir quitté le barreau et toutes ses contraintes. Plus de fric à faire rentrer pour payer les charges, plus d'horaires de malade. Et surtout, je t'admire beaucoup de continuer à le faire : plus avoir à faire semblant de croire toutes les conneries que les gens nous racontent pour ensuite essayer de les faire gober aux juges.

– Tu me parais bien dur avec ce beau métier d'avocat que tu as quand même exercé pendant pas mal de temps, non ?

– C'est vrai, tu as raison, je suis un peu excessif.

– Tu ne regrettes vraiment rien ?

Bon. On en avait fini avec les préambules. Je n'étais pas là pour parler du métier mais pour aller à la pêche aux infos. Et s'il m'avait demandé de l'accompagner c'était sans doute pour m'en livrer quelques-unes. J'allais attaquer le sujet mais c'est lui qui a anticipé, sur un ton sentencieux.

– J'ai quand même gardé quelques réflexes du temps d'avant et surtout le respect du contradictoire. De toute façon, tu verras le dossier tôt ou tard et tu ne peux pas te concerter avec ta, disons, cliente. Je suis sûr que tu brûles de m'interviewer, alors, qu'est-ce que tu veux savoir ?

Je ne m'attendais pas à ce qu'il soit si direct. J'ai répondu sur le même ton en prenant un air entendu.

– Tout, bien sûr !

– Mais encore ?

– C'est quoi cette histoire d'exhumer une affaire criminelle déjà jugée ?

Il hocha la tête et prit un air grave.

– Tu sais comme moi que les vérités qu'on nous sert ne correspondent pas toujours à ce qui s'est vraiment passé. Et que la « vérité judiciaire » n'est parfois qu'un leurre.

– J'entends bien, mais cette histoire semblait particulièrement claire.

Il leva un doigt.

– « Semblait », tu l'as dit. Mais elle l'était peut-être un peu moins.

– Qu'est-ce qui a permis de le penser ?

– Comme souvent, une information. Tu sais « le fameux témoin digne de foi, mais désirant garder l'anonymat », comme on dit dans les procédures. Eh bien, disons qu'il a encore frappé.

– Et qu'est-ce qu'il a raconté cette fois ?

– Que le meurtre du mari de celle qui est, depuis, devenue ton assistante était peut-être moins simple qu'il n'était apparu à l'origine.

– C'est-à-dire ?

– Qu'il fallait chercher à qui le crime avait profité. Et que la mort en détention de celle qui avait été condamnée pour l'avoir tué n'était pas fortuite. Qu'elle avait tout pris pour elle, mais qu'elle avait été assassinée pour éviter qu'elle parle.

– C'est du délire. L'enquête, à l'époque, avait été très complète et toutes les hypothèses avaient été envisagées sans que ça débouche sur quoi que ce soit d'autre. Sabrina l'avait tué parce qu'il la mettait à l'écart de tout et qu'elle n'avait plus supporté de n'être que son sex-toy.

Nous étions encore debout depuis notre entrée dans la petite pièce. Il passa derrière un vieux bureau métallique des années 70 et, tout en s'asseyant m'invita à faire de même. Il sortit une pipe qu'il bourra méticuleusement avant de l'allumer.

– Ça ne te gêne pas si je fume ?

Trop tard pour m'y opposer, mais pourtant j'ai horreur de ça. J'ai fait non de la tête.

– Alors, c'est quoi cette théorie du complot ?

– Une belle histoire de bonnes femmes…

– De quoi ?

Cette fois, il semblait ravi de l'effet produit et goûtait déjà celui de la révélation qu'il allait me faire.

– Trois femmes qui avaient de bonnes raisons pour buter le mauvais homme. Qui se mettent d'accord pour que celle qui est susceptible de prendre le moins se dévoue pour passer à l'acte, et se partagent le magot.

– Quelles femmes et pourquoi ?

– Une épouse bafouée et malmenée, une maîtresse négligée, et une ex spoliée.

– Mais quel magot ?

– L'assurance-vie, pardi ! Opportunément souscrite par le mari peu de temps avant sa mort au profit d'une épouse qui ne pourra être qu'éplorée.

Je me suis levé, et j'ai pris un ton indigné.

– C'est de la folie ! Tu as déjà vu quelqu'un accepter de commettre un crime pour toucher sa prime dix ans ou quinze ans plus tard ?

Il a secoué la tête.

– Tu sais qu'avec dix ou quinze, on peut faire la moitié, voire moins. Et puis, tout dépend combien tu touches à la sortie.

– Mais qu'est-ce qui accrédite cette thèse digne d'un polar de série B ?

– Tu le verras bien assez tôt. En tout cas, beaucoup de coïncidences très troublantes qui pourraient s'avérer être finalement des charges. Et des charges solides.

– Par exemple ?

– Des rencontres avérées entre elles dans la période précédant le crime.

– Qu'est-ce que ça prouve ?

Il haussa les épaules.

– Nous verrons.

Il me fallait en savoir plus. J'ai haussé les épaules, provocateur.

– Vous verrez quoi ?

Ça a eu l'effet escompté et il a voulu me montrer une partie de son jeu.

– Ce que ta « protégée » a fait de l'argent.

Puis, prenant un ton plus menaçant.

– Et puis ce qui est arrivé à cette pauvre Sabrina.

– Qu'est-ce que tu veux dire ?

– Qu'elles l'ont peut-être fait taire.

– On est en pleine folie.

– Peut-être, peut-être.

Et comme je l'avais visiblement contrarié avec mon indignation et pour me montrer que c'était lui qui menait le bal, il m'a regardé avec un sourire condescendant :

– Décidément, tu n'as pas de chance, je crois que c'est ta collaboratrice qui doit aussi être entendue ce matin dans ce volet du dossier, non ?

## 31

Le téléphone a sonné, c'étaient les policiers qui devaient auditionner Dolorès qui s'impatientaient. On s'est quitté dans une atmosphère plus froide, chacun ayant repris son rôle et sachant, l'un et l'autre, qu'il ne s'agissait que d'escarmouches, mais qu'à un moment plus ou moins proche nous aurions à nous livrer un combat plus rude.

Tout en descendant les escaliers puis après avoir traversé le hall et repris le chemin conduisant au poste de contrôle, mon esprit travaillait vite. Comme je le craignais, les deux affaires étaient liées. Il allait falloir essayer de contrôler les explications de Dolorès sans pouvoir lui indiquer où les enquêteurs voulaient en venir, puisque la procédure ne me permettrait pas de m'entretenir seul à seul avec elle. Dans le même temps, j'imaginais que Claire devait passer un mauvais quart d'heure dans une autre partie du bâtiment. La situation n'était pas brillante.

Dolorès était dans un état lamentable. Une nuit de garde à vue laisse des traces autant physiques que psychiques. Comme, à son arrivée, je l'interrogeais du regard, elle m'a spontanément répondu que ça avait été l'horreur. Qu'elle avait passé la nuit avec trois prostituées nigérianes qui avaient parlé fort, crié toute la nuit, raconté des histoires de coups de couteau et qu'elle n'avait pas fermé l'œil.

– Vous croyez que je vais sortir ?

Je n'ai pas eu le temps de lui répondre que le policier qui l'avait déjà interrogé la veille nous coupa.

– Voilà, je vous rappelle que nous sommes en matière criminelle et que notre entretien est filmé. Je vais reprendre l'interrogatoire et vous poser quelques questions. J'attire votre attention sur la nécessité pour vous de dire la vérité même si vous n'avez pas prêté serment. Vous êtes prêt, maître ? Je commence.

Comme le laissait prévoir l'entretien que j'avais eu avec le procureur, toutes les questions de cette matinée portèrent sur les relations entre Dolorès, Sabrina et l'ex-compagne de Grangeon. Elle convint qu'elle avait de bons rapports avec les deux, même si elle avait noté au cours de discussions qu'elles avaient pu avoir, que les deux autres ne portaient pas son mari dans leur cœur. Pourquoi se rencontraient-elles ? Dolorès n'avait pas le souvenir qu'elles se soient vues très souvent. Le policier lui rappela que dans le mois précédant le meurtre de son mari, elles s'étaient retrouvées au moins à trois reprises. Et dans des endroits très différents, éloignés de leurs lieux de résidence habituels, leurs téléphones ayant borné au même moment dans la même zone. Dolorès ne se rappelait pas de ces rencontres. Le policier lui fit alors remarquer que son ex, elle, s'en souvenait. Il lui expliqua qu'elle était en garde à vue dans les locaux de la PJ à Clermont-Ferrand et qu'elle n'avait pas contesté ces rendez-vous.

– C'est très possible.

– Comment et quand aviez-vous sympathisé ?

– Je ne sais plus. Avec Sabrina, on se voyait tout le temps au bureau et nos rapports étaient cordiaux.

121

– Vous saviez pour elle et votre mari ?

– Disons que je m'en doutais.

– Et alors ?

– Disons que je m'en accommodais.

– Vous n'êtes pas jalouse, vous ?

Dolorès hocha la tête.

– Et l'autre, vous saviez qu'il couchait toujours avec elle ?

Elle leva les yeux au ciel.

– C'est n'importe quoi !

– Ah bon ? Vous savez ce qu'elle nous a dit, elle ?

Cette fois, elle prit un air absent, tandis que je m'attendais au pire.

– Elle nous a expliqué qu'un jour où ils baisaient, il lui avait dit que ce pourrait être sympa de se faire une petite partie de jambes en l'air à trois. Avec vous. Que vous seriez assez friande de ce genre de sport et que vous l'auriez déjà fait à trois avec Sabrina.

Dolorès répliqua mollement que c'était vraiment n'importe quoi. Le flic, tout en la fixant, continuait :

– Elle nous a même dit qu'elle avait voulu en avoir le cœur net et que c'est à cette occasion qu'elle vous avait appelée pour vous rencontrer. Qu'elle vous avait tout raconté et qu'ensemble vous aviez décidé de vous voir avec Sabrina. Que chacune, vous aviez tout déballé sur lui et que vous étiez d'accord, au terme de cette petite réunion, pour convenir que c'était un beau salaud. C'est faux ?

J'espérais que Dolorès allait réagir, mais elle était visiblement sonnée. La sentant dans les cordes, il remit la pression ;

– Ça peut donner des instincts de meurtre, non, de découvrir que son mari saute deux autres bonnes femmes en même temps que vous et qu'en plus il n'est pas très gentil.

Il fit mine de fouiller dans la liasse de dépositions qui étaient sur son bureau, avant d'enchaîner :

— Il y a des gens qui disent qu'ils ont entendu des bruits de disputes violentes venant de chez vous à cette époque. Il y en a qui disent avoir noté sur vous des marques qui auraient pu être des traces de coups. Il lui est arrivé de vous frapper ?

Elle ne répondait toujours pas. Puis, très doucement.

— Tout ça n'était pas grave puisqu'on s'aimait.

Le policier prit un sourire ironique.

— Pas faux puisque, à peu près à la même époque, et même un peu avant, il avait souscrit à votre bénéfice une grosse assurance sur la vie.

Puis, feignant un air songeur.

— N'empêche. À partir de cette sympathique réunion de famille, vous allez vous voir régulièrement toutes les trois. En toute discrétion. Et que, comme par hasard, l'une des trois va le fumer. Étonnant, non ?

Fin de l'interrogatoire. Reprise prévue en début d'après-midi. J'essayais de coincer le policier pour en savoir un peu plus sur ce qui était envisagé, mais il prétexta un appel d'un de ses collègues pour s'éloigner. Avant de revenir vers moi pour m'avertir que même s'il considérait que c'était inutile, une perquisition était prévue à mon cabinet dans le bureau de mon assistante.

## 32

Le temps du déjeuner fut un véritable calvaire. Je réintégrai à toute allure le bureau où je retrouvai Julien et mon malheureux stagiaire submergé par les appels. J'ai fait comprendre à Yann (je n'arrivais jamais à me souvenir de son prénom) qu'il allait devoir continuer à gérer seul le flot des mécontents pendant au moins le reste de la journée. La consultation de mon téléphone m'avait déprimé. La boîte vocale n'acceptait plus de messages car en dehors de quelques clients tous les médias appelaient. Le rebondissement de l'affaire Grangeon avait commencé à suinter et en quelques heures tous les vautours allaient me tomber dessus.

Du côté de Julien Couderc, la situation n'était guère meilleure. Certes, Claire avait fait valoir son droit au silence en se retranchant derrière le secret professionnel, mais la pression était rude. Une perquisition avait aussi été prévue et le début d'après-midi au cabinet allait être chaud. Je priais le ciel pour que les médias n'aient pas été informés et qu'il n'y ait pas journalistes, photographes et cameramen à l'arrivée des policiers et magistrats dans les deux dossiers qui désormais impliquaient mon cabinet. Julien paraissait très calme quand il m'a dressé le résumé de l'interrogatoire du matin. Dans un premier temps, les questions ne portaient pas, ou du moins pas encore, sur la possibilité que Claire ait introduit quelque chose à la prison, mais plutôt sur l'environnement de sa cliente désormais soupçonnée d'être à l'origine de la mort de sa codétenue Sabrina. Il ressortait des dernières expertises qu'elle avait bien été empoisonnée par un produit très difficilement détectable. Mais la question suivante était de savoir comment elle se l'était procuré, et surtout qui avait pu lui remettre le poison. Comme elle n'avait aucune famille, et donc aucun parloir, qu'elle ne correspondait par lettre avec pratiquement personne, elle n'avait pu avoir que des contacts téléphoniques avec l'extérieur. Son avocate était évidemment une cible privilégiée et ce, d'autant plus, que l'informateur anonyme la mettait en cause comme intermédiaire. Les questions portaient donc essentiellement sur les personnes qui auraient pu venir la rencontrer et lui demander de transmettre non seulement des informations à sa cliente, mais aussi peut-être un objet quelconque. Claire s'était bornée à s'indigner qu'on puisse la soupçonner et le secret professionnel protégeait sans trop de difficultés pour le moment.

Nous en étions à nous concerter dans l'attente de l'arrivée simultanée des deux cortèges d'enquêteurs, de magistrats et de Dolorès et de Claire lorsqu'on a sonné à la porte du cabinet. J'ai envoyé mon stagiaire pour chasser l'importun, mais il est revenu presque instantanément, visiblement impressionné par le visiteur inattendu. Il m'a expliqué que c'était une très belle femme, « je crois que c'est une Russe à son accent, qui sait que vous êtes là et qui veut vous voir pour un motif grave et urgent ». J'ai tout de suite compris qu'il devait s'agir de Svetlana. Que venait-elle faire là ? Je me suis souvenu de son message nocturne, mais je n'avais vraiment pas le temps de m'occuper d'elle. Je suis donc allé à sa rencontre, décidé à l'éconduire doucement mais fermement, mais je n'ai pas eu le temps de dire quoi que ce soit. Dès qu'elle m'a aperçu, elle s'est précipitée dans ma direction.

– Maître Lucas ! Excusez-moi d'être venue, mais je n'arrivais pas à vous joindre et j'ai besoin de vous !

Mes envies de la virer avaient un peu fondu en la voyant. Elle était certes vêtue plus sobrement que la veille, mais elle ne pouvait laisser indifférent. Elle a compris à mon attitude à la fois que je ne pouvais pas lui consacrer immédiatement le temps qu'elle souhaitait, mais aussi qu'elle produisait sur moi un certain effet. Avant même que j'aie eu le temps de répondre, elle enchaîna.

– J'ai entendu la radio dans le taxi en venant et j'ai compris que vous êtes occupé par une autre histoire compliquée, mais j'ai découvert des choses importantes dans mon histoire dont il faut qu'on parle très vite.

– Svetlana, je ne vais pas avoir le temps maintenant, j'attends l'arrivée de la police d'une minute à l'autre…

– De qui ? La police ? Mais il ne faut pas qu'ils me trouvent là.

– Mais de quoi vous parlez ? Ce n'est pas pour vous.

– Je comprends, mais je les ai eus ce matin au téléphone et ils voulaient me parler dans la journée. Je leur ai raconté des salades pour avoir le temps de me retourner et de vous voir. Je leur ai dit que j'avais dû repartir sur Paris pour une urgence et ils m'ont donné rendez-vous pour après-demain. S'ils me voient ici, ils vont se rendre compte que j'ai menti et pensé que j'ai des choses à me reprocher.

– Ce ne sont pas les mêmes policiers, mais peu importe, vous avez raison, vaut mieux qu'ils ne vous croisent pas. Retournez à votre hôtel et je vous rappelle dès que j'ai fini ici.

– Vous rigolez ! J'ai trop peur qu'ils me trouvent et viennent me chercher. Et puis, je vous expliquerai, vu ce que j'ai découvert, j'ai peur qu'il n'y ait pas que les flics qui me cherchent. J'ai réglé ma chambre et je vais aller ailleurs en attendant qu'on puisse se voir.

– Mais où ?

– Aucune idée, mais je vais trouver.

Bien que complètement concentré sur l'autre affaire et la perquisition imminente, mes réflexes professionnels se sont mis instantanément en route.

– Vous avez votre téléphone avec vous ?

Elle le sortit spontanément de la poche de son blouson en cuir, anticipant avant même que je lui dise quoi que ce soit ce que j'allais lui conseiller.

– Coupez-le, enlevez la batterie, et allez en acheter un n'importe où en prenant une carte prépayée. N'appelez désormais qu'avec le nouveau. Compris ?

– Quelle conne je suis ! Bien sûr, heureusement que vous êtes là !

On aurait dit une gamine qui venait de se faire prendre la main dans le pot de confiture. Je l'ai saisie par le bras et entraînée dans un coin du hall d'entrée pour être sûr que personne ne puisse entendre ce que j'avais à lui dire.

– Svetlana, ne me dites pas que toutes ces infos dont vous voulez me parler, vous les avez découvertes en consultant l'ordinateur dérobé à votre père ? Que vous l'aviez avec vous, cette nuit, dans votre chambre ?

Je connaissais évidemment la réponse. Elle n'osait rien dire.

– Je croyais que vous m'aviez dit que vous l'aviez mis en lieu sûr. Vous imaginez si on vous trouve en sa possession ?

Elle baissait la tête, de plus en plus gênée.

– Vous avez le moyen de vous mettre au vert ?

Elle réfléchissait cette fois à toute vitesse.

– Je crois que oui. J'ai compris. Je file et vous rappelle, disons, en fin d'après-midi ?

– Parfait. Disparaissez, j'attends votre appel et on se voit dès que possible.

## 33

Svetlana n'avait pas quitté le cabinet depuis un quart d'heure que l'invasion a commencé. Deux groupes, composés chacun d'une demi-douzaine de personnes, essentiellement des policiers, sous la houlette des deux juges d'instruction chargés des informations ouvertes et d'un magistrat du parquet. En ce qui concernait Dolorès, la juge clermontoise, Mme Labats, était une femme d'une quarantaine d'années au look un peu sévère mais qui se présenta à moi très courtoisement. Elle était accompagnée de mon ex-confrère passé au parquet dont je n'arrivais pas à retrouver le nom. Je croyais me souvenir que c'était un mélange, noms et prénoms, d'un couple de chanteurs célèbres des années 60. C'était ça : Jacques Dutronc et Françoise Hardy. Il s'appelait donc soit Jacques Hardy soit François Dutronc. J'ai tenté ma chance en le revoyant et, pour faire « familier », l'ai gratifié d'un : « Ça va Jacques, depuis tout à l'heure ? » Il m'a regardé un peu abasourdi et sans doute vexé que je ne me sois pas souvenu de son prénom : « Tu es bien troublé, Lucas. Moi, c'est François. » J'avais raté mon effet.

L'autre équipe, chargée des opérations concernant Claire Dalbret, était chapeautée par un magistrat instructeur de la JIRS (Juridiction interrégionale spécialisée) que je côtoyais régulièrement, mais plutôt dans des affaires de stups. Le juge Cohen me salua froidement. Cette double cohorte était accompagnée, chacune, d'un membre du Conseil de l'ordre délégué par le bâtonnier pour s'assurer que les mesures de perquisition ne porteraient pas atteinte au secret professionnel.

Du côté de Dolorès, les choses sont allées assez vite, les policiers se bornant à fouiller succinctement son bureau. L'un d'entre eux s'apprêtait à lui demander où était la clé du tiroir quand un autre lui fit remarquer que la serrure était légèrement forcée et qu'il s'ouvrait tout seul. Ni l'un, ni l'autre ne prêtèrent attention au trombone que j'avais utilisé la veille et qui se trouvait encore à proximité. L'inventaire de l'intérieur du tiroir ne présentait aucun intérêt. Nous avons échangé un regard avec Dolorès qui m'a remercié silencieusement d'en avoir retiré ses auditions et, sans doute, le petit coffret en nacre que j'y avais trouvé lors de ma propre fouille. La juge qui, visiblement, n'attendait pas grand-chose de ces opérations, y mit fin rapidement.

Dans l'autre bureau, celui de Claire, les opérations durèrent à peine plus longtemps. Le débat portait sur la possibilité ou pas de saisir l'agenda de ma collaboratrice et de consulter des pièces du dossier de sa cliente soupçonnée du meurtre de Sabrina. Il tourna court. Devant les protestations tant de Julien Couderc que du représentant du bâtonnier, rien ne fut saisi.

Tout ce petit monde se retrouva quasiment en même temps sur le départ. Au moment de partir, tandis que nous échangions les formules de politesse habituelles, j'ai remarqué un échange de regards entre Dolorès et Claire qui m'a troublé. Je n'aurais pas pu dire s'il s'agissait de la peur ou de la connivence, mais j'ai ressenti à ce moment-là que ces deux femmes devaient partager un secret et qu'elles s'assuraient l'une et l'autre qu'aucune des deux n'en avait parlé.

## 34

J'ai rattrapé la juge clermontoise, tandis qu'elle s'apprêtait à reprendre son véhicule de fonction en bas du cabinet, pour lui demander ce qu'elle comptait faire pour la suite de la procédure. Si au terme des quarante-huit heures, elle comptait se faire présenter ma cliente en vue d'une mise en examen ou faire lever la garde à vue.

– Je n'ai pas encore pris ma décision, maître.

– Mais il n'y a rien du tout contre ma cliente !

– C'est vous qui le dites. Il reste une dernière audition et on verra ce qu'il en ressort. Le commandant Perret vous a averti ? Il la réentend dans une heure.

Puis, prenant un air mystérieux.

– En tous cas, sans doute à bientôt.

Je n'ai pas eu le temps d'essayer de parler à Dolorès, elle était emmenée dans un autre véhicule. Quant à Claire, elle était déjà repartie avec les policiers qui l'accompagnaient. Julien Couderc, qui avait fait la même démarche auprès du magistrat lyonnais, n'avait pas plus obtenu de réponse que moi. Il était lui aussi convoqué vers 16 heures pour la reprise des auditions.

Au moment de repartir pour l'hôtel de police, je me suis aperçu que j'avais coupé mon téléphone pendant le déroulement des perquisitions. Le remettant en route et visualisant le listing des appels, j'ai vu qu'il y en avait une bonne demi-douzaine émanant d'Ambre Clerc, une consœur pénaliste plus jeune que moi, mais qui trustait la plupart des belles affaires criminelles de toute la région et même au-delà. Nous nous retrouvions régulièrement dans des procès et j'admirais son talent, son courage et des qualités humaines hors du commun. Elle m'avait aussi adressé un SMS : « Appelle moi – urgent – affaire commune en cours – baisers. » J'ai tout de suite pensé qu'elle avait dû être désignée par l'ex-compagne de Grangeon, Christine Beraud, qui était, elle aussi, en garde à vue. Si elle cherchait à me contacter aussi assidûment, c'est qu'elle devait vouloir partager des informations. Aussitôt dans ma voiture, j'ai tenté de la joindre. En vain. Mais j'ai vu s'afficher un message : « Reprise de garde à vue – peux pas te parler – t'appelle après. » Puis, un second message, dans la foulée du premier : « Est-ce que tu viens à Clermont ce soir pour ta présentation ? » Je l'ai informée par le même moyen que j'allais rentrer moi aussi en garde à vue, que je ne savais pas encore si ma cliente serait présentée et donc si je viendrais en fin de journée à Clermont pour être sur place, si nécessaire.

Et je me suis à nouveau retrouvé au chevet de Dolorès. Elle semblait avoir retrouvé le moral et donc un peu plus d'assurance. Le commandant nous laissa pendant un grand moment dans son bureau avant de reprendre l'interrogatoire. Il relisait des auditions dont certaines devaient correspondre à celles de l'ex, qu'on lui transmettait quasi simultanément par fax depuis Clermont.

## 35

Après avoir remis en service la caméra, le policier a repris l'interrogatoire sur un ton neutre.

– Je vais vous demander maintenant de vous expliquer sur la nature de vos relations avec l'ex-compagne de votre mari et celle qui était sa secrétaire, mais aussi sa maîtresse. Et d'abord, étiez-vous au courant de leurs rapports ?

Dolorès hésita une seconde, avant de répondre sur un ton très détaché.

– Je savais naturellement qu'ils avaient eu une liaison…

Il l'interrompit, visiblement excédé.

– Vous n'allez pas commencer à finasser : je vous demande si vous saviez qu'ils continuaient à coucher ensemble.

– Je ne finasse pas, j'essaye de vous faire l'historique de ce que je savais, ou ne savais pas.

– Très bien, je vous écoute.

– Je vous disais que je savais qu'ils avaient eu une liaison, c'est mon mari qui me l'avait dit peu de temps après que nous soyons ensemble.

– Qu'est-ce que vous saviez de leurs relations au moment des faits ?

– Mon mari m'avait dit à plusieurs reprises que c'était une histoire ancienne.

– Vous savez pourtant que ce n'était pas le cas et qu'il vous avait donc menti. Quand l'avez-vous appris ?

– Au moment de sa disparition, puis de l'enquête qui a suivi.

– Vous en êtes certaine ? Vous n'aviez rien remarqué de suspect dans son comportement ?

Dolorès hocha la tête ;

– Tout était suspect dans son comportement avec les femmes.

– Ah ! Nous y voilà : vous saviez qu'il vous trompait, et qu'il avait plusieurs maîtresses ?

– Disons que c'était quelque chose qui me paraissait possible.

– Et comment vous preniez ça ?

Elle eut un rire nerveux.

– Avec philosophie.

– C'est bien, vous étiez une épouse tolérante.

– Disons que je connaissais son passé et que j'ai très vite compris que, même s'il m'avait épousé, il n'avait pas changé.

– Bien que compréhensive, vous lui faisiez des scènes ?

– Ça a pu arriver.

– Violentes ?

Dolorès fit mine de réfléchir.

– Nous avions l'un et l'autre un tempérament plutôt entier… donc, quelquefois ça chauffait.

– Comment ? des cris, de la vaisselle cassée, des coups ?

– Un peu tout ça.

C'est la policière que j'avais un peu oubliée, le lieutenant Berger, qui intervint.

– On résume : votre mari vous trompe effrontément, vous lui faites des scènes, mais ça ne vous empêche pas de copiner avec sa maîtresse et son ex-compagne. Au fait, qu'est-ce qu'elle vient faire dans tout ça, celle-ci ?

Elle haussa les épaules, prit un air dubitatif, avant de répondre, hésitante.

– Je vous ai déjà dit que je ne me souviens plus très bien comment j'ai fait sa connaissance.

– En tout cas, vous l'avez connue pas très longtemps avant la mort tragique de votre mari, mais vous l'avez rencontrée à plusieurs reprises à cette époque et avec Sabrina. Dans quelles circonstances et pourquoi ?

Visiblement, Dolorès s'attendait à ce qu'on lui pose à nouveau cette question et cette fois, sa réponse fut précise, presque trop.

– En fait, je vous confirme que, contrairement à ce qu'elle dit, je l'ai connue par l'intermédiaire de Sabrina. Pour anticiper de nouvelles questions sur elle, je vous dirai simplement que j'ignorais, au départ, qu'elle était toujours la maîtresse de mon mari et que je n'ai pas le souvenir de cette histoire de coucherie à trois dont elle aurait parlé dans ses auditions.

– OK pour Sabrina, mais l'autre, Christine ? Vos dépositions ne concordent pas. Par ailleurs, un certain nombre de témoins relatent que lorsqu'elle a connu votre liaison avec celui qui était son compagnon de l'époque, elle a vu rouge.

Elle l'interrompit.

– Elle lui en a surtout voulu à lui… parce qu'il lui avait menti, qu'il la trompait.

Puis, elle ajouta d'un ton blasé.

– Moi ou une autre, c'était pareil. Elle n'avait aucune raison de m'en vouloir personnellement.

– Donc, c'est Sabrina qui vous a présentées ? Vous vous souvenez des circonstances ?

– Je crois, oui. Sabrina m'avait parlé d'elle et dit qu'en fait c'était une femme sympa qui avait beaucoup de points communs avec moi et qu'à l'occasion, on pourrait boire un verre ensemble.

– C'est ce qui s'est passé ?

– Oui. Et on a sympathisé.

Cette fois, les deux enquêteurs ricanèrent ensemble.

– Touchante, cette petite réunion de famille, non ? Trois nanas qui se sont faites, ou se font baiser par le même mec et qui sympathisent. Vous aviez un sujet de conversation tout trouvé, non ?

Dolorès prit un air excédé.

– On avait les unes et les autres des centres d'intérêt communs sur lesquels nous nous sommes retrouvées.

Le policier s'adressa à sa collègue sur un ton ironique.

– À ton avis ? La mode ? Le réchauffement climatique ?

Puis, redevenant professionnel.

– En tout cas, au point de vous rencontrer à plusieurs reprises, dans des lieux improbables... pourquoi ?

– On avait effectivement sympathisé et nous avons ensuite déjeuné deux ou trois fois ensemble. Je ne sais plus exactement où. C'était chaque fois l'une d'entre nous qui choisissait un lieu et conviait les autres.

– Et après ?

– Après quoi ?

Il la fixa, ironique.

– Vous savez, cet événement fâcheux, la mort de votre mari.

Elle ne se démonta pas.

– Ah oui... et alors ?

— Après, curieusement, plus aucun contact les unes avec les autres.

— Vous savez, je n'ai pas vraiment eu envie de rester en contact avec une femme qui avait assassiné mon mari et une autre qui me rappelait un contexte douloureux.

Le commandant, ignorant sa réponse, se tourna vers moi.

— Bon, je crois que ce n'est pas la peine de continuer pour entendre toujours les mêmes réponses. Je vais mettre un terme à cette audition. Pas de questions, maître ?

J'étais perplexe. Tandis que Dolorès relisait sa déclaration, je l'observais et avais l'impression de découvrir une autre femme, différente de celle que j'avais côtoyée. Elle signa toutes les pages et fixa le policier.

— Je n'ai rien à voir dans la mort de mon mari. Si vous imaginez ça, vous vous trompez complètement.

Puis, se levant, elle se tourna vers moi.

— C'est fini ? Ils vont me relâcher ?

Je n'eus pas le temps de répondre, l'enquêteur anticipa :

— Ce n'est pas votre avocat qui décide, ni même moi d'ailleurs. C'est la juge. Je vais lui faire part de vos auditions et nous verrons bien.

Puis, se tournant vers moi.

— Je serais quand même surpris qu'elle ne veuille pas au moins qu'on lui présente votre cliente.

Je haussai les épaules.

— En quelle qualité ? Si je me réfère aux questions que vous avez posées à Mme Grangeon, je ne vois pas très bien en quoi consisteraient les charges relevées contre elle dans ce qui me paraît être une histoire rocambolesque.

Le policier sourit ironiquement.

– Peut-être pas si rocambolesque que ça, maître. Et puis, vous n'avez pas encore lu le dossier. Il n'est pas impossible que vous changiez d'avis à ce moment-là.

Il avait l'air bien sûr de lui. Mais il pouvait bluffer. Dolorès, elle, semblait à nouveau prête à craquer.

– Je vais repasser une nuit ici ?

Il ignora sa question et se tournant vers moi :

– Je raccompagne votre cliente en cellule et vous tiens au courant par téléphone de la décision de la juge pour que vous puissiez prendre vos dispositions.

## 36

À peine sorti de l'hôtel de police et à l'abri dans ma voiture, j'ai rappelé Ambre Clerc qui sortait comme moi de son interrogatoire en garde à vue. Elle m'a tout de suite ôté toute illusion sur la suite de la procédure.

– Tu viens quand pour la présentation ?

– Nos clientes vont être présentées toutes les deux ?

– Oui, demain matin. Tu seras là ce soir ?

Je n'y avais pas trop réfléchi et partir à Clermont-Ferrand allait une fois de plus bousculer mon emploi du temps et compliquer mon travail pour les heures et même les jours à venir. Ambre ne me laissa pas le temps de la réflexion.

– Il vaudrait mieux que tu te ramènes le plus vite possible, ça nous permettra de confronter nos infos et de préparer la suite. J'ai l'impression qu'ils sont en train de nous faire un travail et qu'ils veulent faire plonger nos clientes pour complicité d'assassinat.

– Ils ont des trucs solides ?

Elle m'interrompit.

– Pas au téléphone, tu sais bien que ces enfoirés sont capables de nous écouter.

– Faut que je m'organise.

– Fais vite. Je suis au château de Codignat. Il y a de la place : je te retiens une chambre… et, en prime, je t'invite à dîner. Préviens-moi dès que tu connais à peu près ton heure d'arrivée. Je t'embrasse.

Ambre ne m'avait pas laissé le choix. C'était tout elle. Énergique, déterminée, elle avait une capacité de conviction qui en faisait une avocate de premier plan. Je n'avais pas résisté à sa proposition, même si j'aurais pu partir pour Clermont seulement le lendemain au petit matin. En fait, la perspective de la retrouver pour passer un bon moment ensemble tout en préparant la défense de nos clientes avait emporté le morceau.

Et puis, je n'aurais pas eu à tergiverser, c'était reposant d'avoir quelqu'un qui avait décidé pour moi. Restait à faire le point sur les autres affaires en cours et à préparer mon déplacement. J'allais faire défiler les messages de ma boîte vocale quand mon téléphone a sonné. Sans surprise, le commandant Perret m'annonçait que Dolorès serait présentée devant la juge de Clermont-Ferrand le lendemain en début de matinée et que la procédure serait à ma disposition à partir de 9 heures au palais. Pas de nouvelles de l'audition de Claire Dalbret, ni de Svetlana. Je décidais de filer au cabinet avant de passer chez moi pour faire un rapide sac de voyage sans oublier de nourrir le chat.

Le malheureux Yann qui commençait à prendre la mesure de sa tâche m'a paru moins affolé et maîtriser de mieux en mieux la situation. Je l'en ai bien sûr félicité et l'ai assuré qu'il n'aurait plus qu'une journée à tenir à ce rythme avant le retour certain (du moins, c'est ce que j'espérais) de Dolorès.

J'allais quitter mon bureau quand j'ai vu débarquer Julien Couderc. Il avait le sourire des soirs de victoire. Je n'ai pas eu à l'interroger, il avait trop hâte de tout me raconter.

– Ils ont levé la garde à vue de Claire.

– Magnifique ! Ça s'est bien passé ?

Il hocha la tête.

– Pas mal. J'ai tout noté pour que vous en preniez connaissance.

– Comment va-t-elle ?

– Un peu secouée, mais ça va. En revanche, ce n'est pas fini.

– C'est-à-dire ?

– J'ai surpris des conversations entre les flics et à travers les questions, j'ai compris qu'ils voulaient lui faire identifier un type qu'ils auraient dû gauler hier matin et qui n'était pas là où ils l'attendaient. Ils lui ont laissé entendre que dès qu'ils l'auraient trouvé, ils procéderaient à une confrontation avec lui. Vous voyez de qui il s'agit ?

– Je crois, oui.

– Ils lui ont dit de rester à leur disposition et qu'ils auraient sans doute d'autres questions à lui poser.

Claire étant provisoirement hors d'affaires, je décidai de me focaliser désormais sur la situation de Dolorès et de filer à Clermont. Julien Couderc était visiblement déçu que je ne lui pose pas davantage de questions. Il me désigna le bloc sur lequel il avait pris des notes.

– Vous ne voulez pas lire ?

– Évidemment oui, mais je dois partir pour Clermont car Dolorès est présentée demain matin.

– Je comprends. Je vous mets ça au propre sur mon ordinateur et vous l'envoie par mail pour que vous puissiez le lire ce soir avant de vous endormir. Ça vous va ?

Il était décidément parfait.

– Super ! Encore bravo et rassurez Claire pour la suite.

Une minute plus tard, j'étais en route pour mon domicile où j'effectuais un passage éclair avant d'emprunter le tunnel de Fourvière et de récupérer l'A89 en direction de Clermont.

## 37

J'avais un peu perdu la notion du temps. Il devait être aux alentours de 18 heures, ce que me confirma l'horloge du tableau de bord. J'envoyai un texto à Ambre pour l'informer de mon arrivée vers 19 h 30 à Codignat quand je réalisai que j'avais complètement oublié la belle Svetlana. J'allais l'appeler quand je me suis souvenu que je lui avais conseillé de se débarrasser de son téléphone. Je n'eus pas à m'interroger longtemps sur les moyens de la joindre, ce fut elle qui m'appela. Avant même de pouvoir dire un mot, j'essuyai un torrent de reproches.

— Décidément, vous me laissez tomber et pourtant j'ai besoin de vous. Si mon dossier ne vous intéresse pas, dites-le-moi, je prendrai quelqu'un d'autre.

— Pas du tout, Svetlana, mais je suis totalement accaparé jusqu'à demain par une affaire dans laquelle mon assistante est en garde à vue pour complicité d'assassinat.

Je l'entendis glousser.

— C'est rassurant. Vous êtes bien entouré. On peut se voir ce soir ?

— Impossible, je suis à Clermont-Ferrand.

— Où ça ? Je peux venir si ce n'est pas trop loin votre patelin.

Elle allait me pourrir ma soirée et je ne me sentais pas de jongler entre les deux affaires. Elle enchaîna.

– Il est urgent qu'on se voie. Je viens d'apprendre que je suis bien convoquée après-demain pour être entendue et il faut que je vous parle de trucs fous dont...

Elle marqua un temps d'arrêt.

– ... dont, disons, j'ai eu connaissance.

Elle voulait sans doute parler de ce qu'elle avait découvert dans l'ordinateur de son père.

– Mais vaut mieux ne pas en parler au téléphone, non ?

J'acquiesçai et pris les devants pour la rassurer, sans vraiment être sûr de pouvoir tenir mes engagements.

– Écoutez, je rentre demain après-midi et on se voit dès mon retour, c'est promis.

Elle parut rassurée.

– Ça me va. Vous m'appelez dès que vous rentrez sur Lyon ?

– Sur quel numéro ?

– C'est vrai j'avais oublié que j'ai un nouveau téléphone. C'est moi qui vous appellerai ou passerai directement chez vous.

– Ils vous ont dit dans quel cadre procédural ils voulaient vous entendre ?

Il y eut un blanc.

– Ça veut dire quoi ?

– Audition libre ? Comme témoin ? Vous ont-ils parlé de la possibilité d'être assistée par un avocat ?

– Ah oui. Ils ont dit que je pouvais venir avec un avocat, mais que je n'en avais pas besoin.

– Raison de plus pour que je vienne !

Elle abonda dans mon sens.

– Évidemment ! Je n'envisageais pas d'y aller sans vous. On se voit de toute façon demain après-midi.

Je n'eus le temps de répondre qu'elle avait déjà raccroché. Ce problème étant provisoirement réglé, j'allais pouvoir me consacrer désormais à confesser Ambre sur ce qu'elle savait du dossier et tenter de faire sortir Dolorès de ce cauchemar.

# 38

Je suis arrivé à peu près à l'horaire que j'avais prévu au château de Codignat. Les formalités à la réception ont été simplifiées par le fait qu'Ambre avait retenu ma chambre. J'allais y monter mes affaires quand elle apparut. Elle qui était toujours vêtue de façon plutôt sportive avait troqué son jean pour une robe ample, vert sombre, et dénoué ses cheveux qu'elle portait habituellement en chignon.

Elle esquissa une révérence, avant de m'embrasser et de me glisser :

– Tu as vu ? J'ai fait un effort pour que tu aies une compagnie moins, disons, professionnelle pour ton dîner. Tu passes par ta chambre et tu me rejoins au restau ? J'ai retenu une table un peu à l'écart pour qu'on puisse parler.

Je me suis dépêché tant j'avais hâte de la retrouver pour passer un moment agréable avec elle et confronter nos informations sur le dossier. Chaque nouvelle affaire est une aventure et c'est évidemment plus passionnant de la partager avec des confrères avec qui on a la même vision du métier, la même philosophie, la même éthique. Avec Ambre Clerc, on était totalement en phase depuis les premières affaires que nous avions plaidées ensemble ou dans lesquelles nous nous étions retrouvés opposés. Le métier d'avocat est difficile et sans doute plus encore pour une femme que pour un homme. Même si la profession s'est beaucoup féminisée, on parle plus dans les médias des ténors du barreau que de toutes celles qui mériteraient très largement d'avoir les mêmes « unes ». Il faut dire que l'image de l'avocat dans l'opinion publique reste d'abord celle du tribun qui harangue les cours d'assises et que l'histoire ne retient que des noms d'hommes. Et pourtant, le monde a changé et il ne suffit plus de tonner pour convaincre. Et dans ce monde-là, les femmes ont aussi pris une importance de plus en plus grande. Pas seulement en jouant sur le côté sentimental ou passionné qui serait leur apanage mais aussi en faisant davantage appel à la raison ou à l'intelligence. Ambre savait émouvoir, mais plus encore convaincre grâce à son professionnalisme, sa parfaite connaissance des dossiers et la finesse de ses raisonnements. En m'approchant de la table, j'ai vu qu'elle pianotait sur son Iphone, tout en sirotant un negroni. Elle a relevé la tête en m'apercevant dans son champ de vision.

— Je t'ai commandé la même chose. J'ai cru me souvenir que tu aimais bien ça.

Quelques mois plus tôt, nous avions plaidé l'acquittement pour un client commun accusé d'avoir poussé sa femme du haut du muret d'un barrage. On s'était escrimé à démontrer que c'était un accident et nous avions eu le sentiment que la cour comme les jurés avaient été sensibles à nos arguments. Après trois heures de délibéré, ils étaient revenus et la présidente d'un ton neutre avait annoncé le verdict : coupable et trente ans de réclusion.

Après avoir passé de longues minutes à réconforter notre client, lui avoir assuré que nous avions toutes nos chances en appel, consolé des membres de sa famille convaincus de son innocence, nous avions été saluer, comme c'est l'usage, les magistrats qui composaient la cour d'assises. C'est toujours un moment difficile quand vous n'avez pas été écoutés et que vous vivez un verdict comme un échec personnel. Le pire, c'est lorsque les juges vous accueillent avec un sourire crispé et, d'entrée, se déchargent de la responsabilité de la sévérité de la décision : « On n'a rien pu faire, les jurés étaient très remontés... Vous savez, on ne les maîtrise plus. » À quoi s'ajoute parfois ce commentaire qui finit de vous rendre dingue : « En revanche, belle plaidoirie. Si, si, les jurés nous ont dit combien ils avaient trouvé votre prestation remarquable. » Ce soir-là, après nous avoir essuyé ce type de commentaires, nous nous étions retrouvés au bar d'un grand hôtel où nous avions descendu sans presque un mot plusieurs negronis. La décompression qui suit la tension d'un tel procès, la déception, et l'alcool avaient ensuite libéré notre fureur contre « ces magistrats qui font semblant de nous écouter pour mieux nous baiser, ces jurés qui n'y comprennent rien, ces médias qui, pendant tout le procès, avaient présenté notre client comme "un grand pervers", bref contre la terre entière. Nous avons éclaté de rire en nous remémorant ce moment apocalyptique.

– Tu as des nouvelles de notre client ?

– Je l'ai vu à Corbas il y a une quinzaine de jours. Il allait bien et est très confiant pour l'appel. En dépit du résultat, il nous fait toujours une entière confiance.

Elle acheva son verre et en commanda un second tandis que le barman m'apportait le mien. Elle ajouta en souriant :

– Il m'a expliqué que ce qu'on avait dit de lui était tellement émouvant et surtout si vrai que…. J'ai failli lui dire : « Vous avez fini par y croire ! »

On s'est tapé dans la main comme deux basketteurs qui viennent de réussir un panier d'anthologie et nous sommes félicités d'avoir au moins convaincu quelqu'un au cours de ce procès : notre client, qu'il était un type bien. Et puis on est rentré dans le vif du sujet. C'est moi qui ai ouvert le feu.

– Alors, comment ça se présente ?

## 39

Le maître d'hôtel nous a apporté la carte et nous avons choisi, chacun, avant même qu'il ne reparte, un dos de cabillaud accompagné de petits légumes. Nous avons commandé un verre de viognier, puis repris notre conversation.

– Je te demandais comment se présente notre affaire ?

Ambre croisa ses mains dans un geste dont j'avais remarqué depuis que je la côtoyais qu'il signifiait qu'elle mettait ses idées en place.

– Compliqué. Et d'abord, faut que je te dise que ce que je vais te raconter, je le sais d'une part de ma cliente et d'autre part d'un des flics enquêteurs qui m'a livré quelques infos après son dernier interrogatoire. Il m'a donné ces infos, parce qu'on se connaît depuis la fac et que, de toute façon, on en prendra connaissance demain quand on aura accès au dossier. Quant à ma cliente, elle m'a autorisée à te donner un certain nombre d'informations, étant entendu qu'en l'état actuel du dossier nous avons des intérêts communs.

– En l'état actuel ?

– Oui, parce que tu verras, pour le moment, on est embarqué sur la même galère, mais si ça tournait mal, il pourrait y avoir débat sur la place de chacun. Et tout ce que nous nous disons là restera bien évidemment totalement entre nous, quoi qu'il arrive.

— Bien évidemment, c'était inutile de le préciser.

Elle hocha la tête, trempa ses lèvres dans le verre de blanc qu'on venait de nous servir et attaqua son exposé.

— Voilà. Tout a commencé il y a quelques mois par la visite à mon cabinet d'une femme d'une quarantaine d'années, Christine Beraud. Elle m'a aussitôt impressionnée par son charisme. Grande, belle, sûre d'elle, se présentant sur la fiche que je fais remplir par ma secrétaire pour tout nouveau client comme dirigeante de société. J'ai pensé qu'elle venait me voir pour une histoire de divorce et pas du tout pour une affaire pénale. Elle m'a tout de suite précisé qu'elle avait voulu me rencontrer à cause de ma réputation de pénaliste et que son affaire était très délicate. Comme je lui faisais remarquer que toute affaire, en particulier, pénale, est délicate, elle m'a souri et insisté sur son caractère « particulier ». Elle m'a expliqué qu'elle s'attendait à être entendue très prochainement dans une affaire criminelle et qu'elle souhaitait que je l'assiste dès ses premiers interrogatoires. Je lui ai demandé comment elle savait qu'on allait l'interroger et c'est là où elle m'a dit que résidait le caractère un peu spécial de son dossier. Elle m'a précisé qu'elle tenait cette information de son compagnon, ancien gendarme, qui lui-même, l'avait appris d'un ancien collègue sous le sceau du secret. Elle m'a expliqué qu'elle avait vécu quelques années plus tôt avec un homme dont elle avait partagé la vie pendant une dizaine d'années et qui avait été assassiné deux ans après leur séparation. Que l'auteure de ce crime, une de ses maîtresses, avait été arrêtée, avait reconnu le crime et avait été condamnée. Mais, me précisait-elle, à la suite d'une dénonciation anonyme qui accusait des personnes de l'entourage de celle qui avait été condamnée d'avoir participé au meurtre, une nouvelle enquête était diligentée.

– Tu lui as naturellement demandé à quel titre.

– Évidemment. Elle m'a alors raconté qu'elle connaissait la meurtrière, qui était la maîtresse mais aussi la secrétaire de celui qui était son compagnon avant qu'ils ne se séparent. Qu'elle connaissait également celle qui était devenue son épouse après qu'ils avaient rompu et qu'on les soupçonnait à la suite de ces informations récentes, d'avoir fomenté un complot pour le tuer. Elle a aussitôt ajouté, naturellement, que tout ça était totalement faux.

– Tu lui as dit alors de ne pas s'inquiéter.

Ambre sourit.

– Bien sûr. Mais, comme tu l'aurais sans doute fait, je lui ai quand même demandé pourquoi on la soupçonnerait.

– Elle s'est d'abord assurée que tout ce qu'elle me dirait resterait totalement entre nous et que le secret professionnel ne pouvait pas être levé sauf avec son accord et elle m'a tout raconté.

– Tout ?

– Ou presque. Parce que je t'expliquerai ce que j'ai appris, moi, de mon côté.

– Je t'écoute.

– Bon. Elle m'explique que quelque temps avant la mort d'Armand Grangeon, car tu as compris que c'est de lui qu'il s'agit, elle va rencontrer, par l'intermédiaire de Sabrina, sa nouvelle épouse et qu'elles vont sympathiser. Elle concède qu'au cours de ces moments partagés autour d'un verre, elles ont pu s'échauffer et se trouver d'accord pour considérer que c'était finalement un sale type et qu'à des degrés divers il les avait trompées, bafouées, humiliées.

– De là à vouloir le punir…

– C'est la question que j'ai posée et à laquelle elle a répondu de façon ambiguë. Non, affirme-t-elle, mais il n'est pas impossible que Sabrina, la plus fragile des trois, ait été confortée par ces discussions dans ses intentions homicides et que finalement cela ait pu faciliter le passage à l'acte.

– Rien qui ne puisse être qualifié sur le plan pénal.

– Certes. Mais là où les choses se gâtent c'est l'analyse qui, suite à la dénonciation du corbeau, a pu être faite de la suite des événements.

– Qu'est-ce que les enquêteurs ont trouvé, à ta connaissance ?

– Que, bizarrement, à la suite du meurtre, les trois femmes coupent tout contact.

– Ma cliente s'est expliquée là-dessus. Rien d'extraordinaire vu le contexte.

Ambre prit un air mystérieux.

– En principe, je te dis, car il y a des éléments qui peuvent laisser penser le contraire.

– Quel genre ?

– Ta cliente hérite et, toujours d'après le dénonciateur anonyme, va « assister » en prison la meurtrière de son mari.

– Tu parles, je l'ai su par elle, elle va lui envoyer deux, trois mandats par pitié.

– Je ne parle pas de deux, trois mandats, mais de règlements réguliers qui lui ont été adressés à la taule et qui finissent par faire de belles sommes.

– Dolorès n'a pas fait ça !

– On la soupçonne, même si ces versements ont été effectués par mandats depuis des postes éloignées de la région et sous des faux noms. L'expéditeur fait l'objet de descriptions très différentes : tantôt un homme, tantôt une femme, mais plusieurs postiers se demandent s'il n'était pas grimé.

– Quoi d'autre ?

– Les policiers se demandent si ta cliente ne lui a pas constitué un petit pactole à l'étranger géré par la mienne pour brouiller les pistes au cas où on s'intéresserait un jour à certains mouvements de fonds.

J'étais abasourdi. L'incrédulité devait se lire sur mon visage.

– J'ai gardé le meilleur, ou le pire, comme tu préfères pour la fin. Je ne t'ai pas encore parlé d'un personnage capital sur qui repose toutes leurs hypothèses mais qui leur a échappé au cours de leur coup de filet d'hier, ce qui fragilise toute l'accusation.

– Qui ça ?

– Le fameux ex-gendarme, amant de ma cliente au moment du meurtre et son compagnon jusqu'à une période récente.

– Qu'est-ce qu'il vient faire là-dedans celui-là ?

– D'après mon pote de la PJ, il est possible que ce soit lui qui ait tout monté. Il aurait convaincu les trois bonnes femmes de buter le mari. Ta cliente héritant à sa mort, elles se partageaient le magot. Celle qui risquait le moins si elle se faisait choper pour le meurtre, c'était Sabrina. Elle pouvait plaider que l'autre la traitait comme un objet sexuel, qu'elle l'avait aimé, qu'il l'avait humiliée. Moralité, crime passionnel entre douze et quinze. Elle a pris quinze. Jamais condamnée, irréprochable en prison, réductions automatiques, aménagement de peine : elle pouvait sortir au bout de cinq, six ans et toucher un beau magot à la sortie.

– Abracadabrantesque, aurait dit Chirac !

– Pas tant que ça, tu vas voir. Le problème, c'est qu'après son procès elle aurait commencé à s'impatienter et qu'elle risquait de parler. Il aurait alors été décidé, ils ne savent pas exactement par qui et comment, de la faire taire.

– Mais c'est de la folie.

– Au contraire. Elle a d'ailleurs bien fini par être empoisonnée, et tu sais qui aurait servi d'intermédiaire, selon eux, pour faire occire la malheureuse ?

J'avais hélas la réponse.

– Ta gentille collaboratrice.

## 40

J'étais un peu sonné et l'arrivée d'un triste dos de cabillaud sur lit d'épinards n'allait sûrement pas contribuer à m'ouvrir l'appétit. Ma consœur semblait au contraire jouir de l'effet produit par ses révélations. Elle me regardait avec l'œil gourmand du boxeur qui vient d'envoyer son adversaire dans les cordes. Elle attaqua son poisson avec ardeur, avant de m'adresser un sourire compatissant.

– Bon, pas de panique non plus. Ce que je te dis, c'est ce que les enquêteurs pensent. Après, ils peuvent se tromper. En tout cas, j'ai l'impression que, pour le moment, ils n'ont pas beaucoup de preuves pour étayer leur hypothèse. Ils ont surtout raté l'interpellation de l'ex-gendarme, qui serait le personnage central d'après mon contact. Ma cliente, elle, ne raconte pas grand-chose d'intéressant. Enfin, ils auraient aussi voulu entendre le mari de cette Sabrina, mais qui, lui aussi, n'était pas là où ils pensaient le récupérer. Leur opération pourrait s'avérer être un coup d'épée dans l'eau et nos clientes, au moins provisoirement, s'en sortir indemnes. Avec, en plus, l'avantage, pour nous, d'avoir accès au dossier et donc de pouvoir parer les futurs coups qui risquent de tomber.

Tout en l'écoutant, j'essayais d'analyser la situation.

– Que vient faire ma collaboratrice dans toute cette histoire ?

– Je n'ai pas très bien compris comment elle arrivait là-dedans. Ce qui est sûr, c'est qu'ils la soupçonnent d'avoir fourni à une cliente à elle le produit qui a empoisonné Sabrina.

J'ai feint l'incrédulité.

– Pourquoi aurait-elle fait un truc pareil ?

– Qu'est-ce que j'en sais, moi ? Tu la connais mieux que moi.

J'ai menti avec conviction, faisant mine de penser tout haut.

– Justement. C'est une fille sérieuse, consciencieuse, une bonne professionnelle.

Ambre a adopté un ton condescendant.

– Crois-en mon expérience, on ne sait jamais ce qui peut passer dans la tête d'une fille. Et quand je dis la tête…

J'ai compris qu'elle en savait plus qu'elle ne voulait bien me le dire et que si elle m'avait raconté une partie de l'histoire qu'elle connaissait, elle ne m'avait pas tout livré. Sans doute pour garder des cartouches pour sa cliente au cas où un jour nos intérêts ne seraient plus aussi convergents. Et puis, j'étais mal placé pour le lui reprocher, alors que je ne lui disais pas moi-même tout ce que je savais. J'avais mâchonné un bout de poisson, poussé les épinards et les petits légumes sur le bord de l'assiette. Elle finit d'un trait son verre de blanc.

– Bon, je t'ai coupé l'appétit. Je suppose que tu ne veux pas de dessert ? Un café ?

Je n'ai pas eu le temps de répondre. Cette fois, elle avait un grand sourire.

– Je peux te poser une question, disons, un peu personnelle ?

– Je t'en prie ?

– Elle est comment au paddock ?

– De quoi tu parles ?

– Fais pas l'idiot. Tu vois très bien ce que je veux dire. Comment elle est au lit ?

– Mais de qui tu parles ?

– Pas de ta collaboratrice, bien sûr, à mon avis c'est pas trop ton genre de femme. Ton assistante, la belle Dolorès, je l'ai aperçue plusieurs fois, ne me dis pas que tu l'as jamais sautée ?

Cette fois, elle commençait à me gonfler. J'ai haussé les épaules.

– Même pas.

# 41

Les journées de présentation d'un client au palais de justice se déroulent toujours de la même façon. Il faut être au plus tôt devant le bureau du juge d'instruction, qui doit vous remettre le dossier que vous pourrez consulter. « Soyez là à 9 heures. Les enquêteurs arrivent à 8 h 30 avec votre cliente. Vous aurez le temps d'en prendre connaissance, de la voir et je commencerai l'audition vers 10 h 30. » En réalité, le juge n'arrive qu'à 9 h 30, les policiers qu'à 10 heures. Le juge veut relire les dernières auditions, le parquet, qui doit transmettre son réquisitoire introductif, se prononcer sur les demandes de mises en examen et prendre des réquisitions quant à une éventuelle demande de mise en détention, n'a pas encore fait connaître sa position. Bref, on commence avec une heure de retard et l'audition prévue en milieu de matinée n'aura lieu que vers 11 h 30, dans la meilleure des hypothèses.

Bien que rodé à ce cérémonial quasi immuable, j'étais devant la porte de la magistrate chargée du dossier à 9 heures pile. J'avais croisé Ambre au petit déjeuner et nous étions convenus que j'essayerai de passer le premier. Elle m'avait laissé choisir (« privilège de l'âge »...), étant entendu qu'elle n'avait aucune obligation pour le reste de la journée. La greffière était bien à l'heure et, bonne nouvelle, m'annonça que nous aurions, ma consœur et moi, une copie du dossier à disposition vers 9 h 30.

Dès qu'elle m'a été remise, je me suis jeté avidement et anxieusement sur les procès-verbaux. Et d'abord sur la dénonciation qui avait justifié la réouverture de l'affaire Grangeon. Sans surprise, la procédure démarrait par un procès-verbal établi par un commandant de police en poste à la PJ de Saint-Étienne qui expliquait qu'il avait été contacté par « un témoin digne de foi mais désirant garder l'anonymat », de faits nouveaux susceptibles d'éclairer un crime commis quelques années plus tôt en Haute-Loire et dont avait été victime un dénommé Armand Grangeon.

Le plus impressionnant était le luxe de détails que donnait l'auteur de la dénonciation. Il citait des dates précises de rencontres qui avaient pu avoir lieu entre les trois femmes, la teneur de leur conversation et le rôle qu'avait joué Frédéric Lambert, le jeune retraité de la gendarmerie, compagnon de l'époque de Christine Beraud. Il était présenté comme un type séduisant qui aurait très rapidement pris l'ascendant sur les trois femmes, avant de suggérer d'abord sur le ton de la plaisanterie, puis ensuite de façon beaucoup plus précise, l'idée de se débarrasser d'Armand Grangeon, tout en leur permettant de réaliser une belle opération financière. L'organisation du meurtre et les détails de l'opération financière étaient également parfaitement décrits. Il aurait participé physiquement à l'exécution de Grangeon avec Sabrina et mis en place les modalités de la répartition des fonds générés par le décès de l'industriel. La veuve, principale bénéficiaire, reversait à ses deux amies une part du butin. Celle revenant à Sabrina, du fait de son arrestation, devait être gérée par

Christine et lui. L'informateur expliquait que l'argent serait viré en Suisse et qu'elle pourrait le récupérer à la sortie. Mais, c'est là que les choses se seraient compliquées et que Sabrina aurait eu des doutes sur la « fiabilité » du couple. Car si l'argent avait bien été envoyé où elle l'avait demandé, ceux-ci se le seraient approprié. Elle aurait alors fait part de son mécontentement et menacé de tout révéler. Quelques semaines après avoir averti ses anciens amis de ses intentions, elle était retrouvée morte, empoisonnée, dans sa cellule. Le dénonciateur se disait convaincu qu'elle avait été assassinée et que Frédéric Lambert avait été à la manœuvre pour organiser cet homicide.

À la suite de ce témoignage, un certain nombre d'investigations avaient été ordonnées par le parquet, qui avait accrédité les accusations qu'il contenait. Les enquêteurs s'étaient rapprochés de leurs collègues travaillant sur la mort suspecte de Sabrina. Ils en avaient retiré la conviction que celle-ci ne s'était pas suicidée mais avait été victime d'un meurtre. Les circonstances étaient difficiles à déterminer, l'hypothèse la plus vraisemblable étant que c'était sa compagne de cellule de l'époque qui l'avait empoisonnée. Malheureusement, celle-ci, Adana Hojda, qui était détenue pour homicide, avait été remise en liberté à la suite d'un vice de procédure. D'origine albanaise, elle avait disparu à peine sortie, et était probablement retournée dans son pays d'origine. Ce qui avait intrigué les policiers, c'est qu'elle était défendue par ma collaboratrice Claire Dalbret et que celle-ci côtoyait à mon cabinet Dolorès. Naturellement, l'hypothèse avait germé qu'elle ait pu intervenir auprès d'elle pour faire parvenir le poison mortel par l'intermédiaire de sa cliente. Une instruction étant ouverte dans ce cadre-là, ils avaient laissé leurs collègues poursuivre leurs investigations sur ce terrain, étant entendu qu'il n'y avait aucun élément concret à l'appui de cette hypothèse.

Ils s'étaient ensuite focalisés sur Dolorès, qui avait fait l'objet d'une enquête approfondie sur sa situation. Elle avait effectivement bénéficié d'un bel héritage dont elle n'avait rien caché à l'administration fiscale. Seules pistes intéressantes la concernant, l'envoi en Suisse de deux virements importants pour des associations de défense des animaux et à une ONG consacrant son activité à des orphelins. Ça semblait bien réel mais avait occasionné de sa part de fréquents déplacements en Suisse qui leur avaient paru suspects. Elle menait une vie apparemment sans histoire, n'avait plus eu de contacts ni avec Christine Beraud, ni avec Sabrina avant son décès, si ce n'était l'envoi à celle-ci de deux mandats d'un montant plutôt modeste. Elle restait celle pour qui la mort de son époux avait engendré les profits les plus importants.

Le couple Lambert-Beraud avait lui aussi fait l'objet d'investigations poussées. Elle paraissait totalement sous l'emprise de son compagnon. Christine Beraud semblait toutefois mener un train de vie qui ne correspondait pas à ses modestes gains comme comptable dans une petite entreprise. Quant à lui, le moins qu'on puisse dire, c'est qu'il n'avait pas fait l'objet de renseignements très élogieux de ses supérieurs quand il servait dans la gendarmerie. Il était présenté comme arriviste, peu respectueux de ses chefs et des règles de procédure. Il avait eu plusieurs problèmes sérieux avec des collègues femmes qui l'avaient accusé de harcèlement et avait finalement fait l'objet d'une mise à la retraite anticipée, qui s'avérait être une véritable sanction. Le personnage était sulfureux, se déplaçait beaucoup et semblait disposer de gros moyens financiers sans rapport avec sa pension de retraité.

Une information avait finalement été ouverte et confiée à une juge d'instruction de Clermont-Ferrand, s'agissant d'une affaire criminelle située à l'origine en Haute-Loire. Elle avait mis tout le monde sur écoute, lancé une commission rogatoire internationale pour cerner la destination des fonds envoyés en Suisse et demandé récemment à la PJ de lui faire une synthèse de leurs travaux.

Les policiers, même s'ils n'avaient pas grand-chose de probant, avaient exposé leur hypothèse et exprimé leur conviction qu'une interpellation surprise de tous les protagonistes qui ne se savaient pas suspectés, suivie d'une mise en garde à vue, pourrait donner des résultats. Ils ajoutaient que, d'après les dernières informations qu'ils avaient recueillies, Frédéric Lambert ne vivait plus avec Christine Beraud et que sa consultation de sites de voyages pouvait laisser craindre qu'il ne s'enfuie à l'étranger.

Les interpellations avaient été décidées un peu à la hâte, les intéressés « logés », mais l'opération avait capoté : Frédéric Lambert n'était pas au nid où on pensait le trouver. L'ex-mari de la meurtrière, sans doute en possession d'informations importantes et soupçonné d'être l'auteur de la dénonciation, avait disparu.

Les hypothèses envisagées, en leur absence, risquaient de ne pouvoir être confortées et la suite de la procédure rendue très aléatoire. La juge et les policiers avaient voulu frapper trop vite et leur dossier se révélait bien léger, très limite même pour envisager des mises en examen.

## 42

C'est très ragaillardi que je suis ressorti du petit
bureau où j'avais pu consulter le dossier. J'ai croisé
Ambre, qui venait d'arriver et, sa copie sous le bras,
s'apprêtait à en faire de même. En deux mots, je lui ai
confirmé qu'il n'y avait pas grand-chose de concret à
l'encontre de nos clientes. Puis j'ai hélé la greffière qui
ressortait du bureau de la juge et lui ai demandé si je
pouvais la voir avant de rencontrer ma cliente. Après
quelques instants, elle m'a fait entrer avant de s'effacer.

La juge Labats avait l'allure d'une bonne sœur défro-
quée. Je ne m'étais pas attardé à la regarder lors de la
perquisition de la veille, mais c'est vrai qu'elle n'était
pas particulièrement charismatique. Elle devait avoir
une cinquantaine d'années, des cheveux courts, raides
et grisonnants. Elle portait une jupe marron, un peu
trop longue, un corsage complètement démodé et des
chaussures plates. On sentait qu'elle se préoccupait peu
de son apparence physique. Elle était quand même venue
poliment à ma rencontre pour me serrer la main avant
de retourner s'asseoir derrière son bureau. Elle me fit
signe de prendre un siège.

Elle paraissait contrariée, mais commença par
quelques amabilités, me rappelant, je ne m'en souve-
nais pas, que j'avais plaidé devant elle une affaire de

responsabilité médicale, quelques années plus tôt, alors qu'elle siégeait au TGI de Bourg-en-Bresse. Elle avait apprécié ma plaidoirie. Avant même que je ne puisse dire un mot, elle a anticipé ce que j'allais lui dire.

– Je sais ce que vous pensez. Ce dossier, en l'état, ne vaut pas un clou.

Elle prit un air désespéré.

– Et pourtant, je n'en pense pas moins. Mais vous avez raison. Force est de constater que, pour le moment, à part une hypothèse séduisante, je n'ai pas beaucoup de munitions. En tout cas, pas assez pour mettre votre cliente en examen comme l'aurait souhaité le parquet. Je vous le dis pour que les choses soient claires entre nous. Je vais donc l'entendre sous le régime de témoin assisté, ce qui vous permettra d'être à ses côtés, mais nous évitera à l'un et à l'autre de perdre notre temps et notre énergie. Vous aviez des choses particulières à me dire ?

Avant que je n'aie eu le temps de lui répondre, elle décrocha son téléphone pour appeler le petit dépôt et demander qu'on fasse monter ma cliente pour que je puisse m'entretenir avec elle. Puis, consultant sa montre :

– Je vous prends dans vingt minutes. Je suppose que votre cliente ne souhaitera pas répondre à mes questions.

Je n'avais pas ouvert la bouche, et me retrouvai dans le couloir à attendre l'arrivée de Dolorès. Elle n'était pas brillante. Les gardiens nous ont laissés seuls dans la petite cellule affectée à ces entretiens.

Tandis qu'elle se frottait les poignets dont on lui avait retiré les menottes, elle s'affaissa sur le siège fixé au sol sans même me regarder. Elle devait vivre un moment à la fois de honte et de peur quant à la suite des événements. Je l'ai aussitôt rassurée.

– Dolorès, tout va bien. Vous sortez après votre audition par la juge et je vous ramène avec moi à Lyon.

Elle releva la tête, avec un pâle sourire.

– C'est sûr ? Ce cauchemar est terminé ?

Je n'ai pas osé lui dire que ce n'était peut-être que provisoire.

– Dolorès, on a peu de temps avant de voir la juge. Je vous explique en deux mots comment ça va se passer et on aura ensuite le temps de reparler du dossier dans la voiture.

– Elle va me poser des questions ? Qu'est-ce qu'il faut que je réponde ?

– Justement, non. Vous n'allez pas être mise en examen, mais bénéficier du statut de témoin assisté.

– Ça veut dire quoi ?

– Qu'on estime qu'il y a des éléments contre vous, mais pas suffisamment pour qu'on vous mette en examen. Qu'on vous « inculpe », comme on disait avant.

– Je suis un peu perdue. Concrètement, qu'est-ce qui va m'arriver ?

– La juge va vous faire un speech, vérifier votre identité et vous expliquer que vous êtes entendue sous le régime de témoin assisté, ce qui vous donne un certain nombre de droits que je vous expliquerai plus tard et surtout celui d'avoir accès au dossier. Elle va vous dire que vous avez le choix entre trois solutions : faire valoir votre droit au silence et ne rien dire du tout. Faire une déclaration spontanée. Ou répondre à ses questions.

– Qu'est-ce qu'il faut que je dise ?

– Déclaration spontanée. Vous dites : « Je confirme mes déclarations aux services de police et je suis innocente des faits dont on me soupçonne. »

– Et après ? Je vais être mise sous contrôle judiciaire ?

– Non. Le juge n'en a pas le pouvoir pour un témoin assisté. Vous signez le procès-verbal et on se casse.

Dolorès acquiesça et fit docilement ce que je lui avais suggéré.

Une fois qu'elle eut signé, la juge lui confirma qu'elle pouvait quitter librement le palais. Le temps de récupérer ses quelques affaires que les gardiens du petit dépôt lui rapportèrent, sans un mot, nous avons filé dans ma voiture garée sur un parking à quelques dizaines de mètres du palais.

## 43

Les portes du véhicule à peine verrouillées, Dolorès s'est effondrée en sanglots, agitée de tremblements nerveux. J'ai essayé, en vain, de la calmer pendant de longues minutes. Elle a fini par reprendre ses esprits et sécher ses larmes. Sans maquillage, marquée par la fatigue et l'angoisse, elle faisait dix ans de plus que son âge. Elle a senti que je la regardais avec ce qu'elle ressentait comme de la pitié.

– J'ai honte de me retrouver comme ça devant vous. Je pue, je suis moche et je vous ai mis dans une situation impossible.

– Mais non…

– Je n'aurais jamais dû accepter de devenir votre assistante. Avec mes conneries, je vais vous porter un tort considérable ainsi qu'au cabinet.

J'allais lui dire que tout ça n'avait pas d'importance et que j'étais là aussi pour la défendre, comme n'importe lequel de mes clients. Elle a serré très fort ma main.

– Merci d'être là et de m'avoir sortie de cette merde. J'ai eu tellement peur.

Puis, après avoir poussé un soupir de soulagement.

– Je vous dois toute la vérité. Mais, pas ici. Rentrons à Lyon et je vous raconterai tout.

Je n'ai pas insisté. Nous avons effectué le trajet de retour sans un mot, moi concentré sur ma conduite et elle le regard perdu dans le vague. Arrivé en ville, elle m'a guidé jusqu'à l'adresse de son appartement, avenue Foch. Il y avait une place de parking juste devant. J'allais la laisser et lui proposer de la retrouver plus tard, mais elle a insisté pour que je la suive chez elle. Il devait être aux alentours de midi. Elle m'a installé dans un salon meublé avec goût et suggéré de faire livrer des pizzas pendant qu'elle prenait une douche. Je n'avais pas très faim et elle pas du tout. Je n'ai donc rien commandé et consulté mon téléphone pendant qu'elle se rendait dans la salle de bains. Je me suis aperçu que je l'avais coupé machinalement en rentrant dans le bureau de la juge d'instruction et que je ne l'avais pas rallumé depuis. J'ai donc écouté, un peu angoissé, la litanie des messages qui s'égrenaient mais aucun n'était véritablement urgent. Même Yann commençait à faire front. Mais il était clair que le retour de mon assistante allait me permettre de refaire surface et de gérer à nouveau ce quotidien qui bouffe littéralement la vie de l'avocat.

J'en étais là de mes réflexions quand elle est réapparue. Transformée. Légèrement maquillée, vêtue d'un jean, d'un polo qui mettait en valeur sa poitrine et portant des baskets de marque. Elle n'avait pas eu le temps de sécher ses cheveux et s'en excusa en les ébouriffant. Je retrouvais Dolorès et je constatais que son charme, en dépit des circonstances, opérait toujours sur moi. Elle s'assit en face de moi, prenant un air concentré.

– Je ne sais pas trop par quoi commencer.

J'ai coutume, lorsque mes interlocuteurs s'adressent à moi de la sorte, par ironiser : « Par le commencement, c'est toujours mieux. » Mais j'ai jugé que ce n'était pas le moment de plaisanter. D'ailleurs Dolorès enchaîna.

– D'abord, il faut que vous sachiez que je n'ai ni fomenté, ni participé au meurtre de mon mari. Ça, je voudrais que vous en soyez bien convaincu.

Je l'ai coupé d'un geste de la main.

– Dolorès, il faut que les choses soient claires. Je suis désormais votre avocat et ce que vous avez fait ou pas fait ne me concerne pas. Je suis là pour vous défendre et je n'ai besoin de savoir que ce qui est utile à votre défense.

Elle parut excédée par mon propos.

– Je sais, je sais. Je vous ai entendu expliquer ça cent fois à vos clients ou dans des émissions de télé, mais zut, je ne suis quand même pas une cliente comme une autre.

– Justement si, si vous voulez que je vous défende bien. Si on rentre dans le personnel, dans le passionnel, si je perds toute distance avec vous, on va vers des catastrophes. Compris ?

Cette fois, elle parut contrariée.

– Je pensais que j'étais un peu différente que les autres pour vous, mais bon, si c'est comme ça… En tout cas, moi je tiens à votre estime et j'aimerais que, pour une fois, vous soyez convaincu de l'innocence de votre cliente.

J'ai haussé les épaules. Elle a feint de ne pas s'en rendre compte.

– Pour reprendre une de vos expressions favorites, je vais essayer de commencer par le commencement. Il faut que vous sachiez que mon histoire d'amour avec Armand Grangeon a été brève et violente. Je l'ai rencontré et j'ai eu pour lui un véritable coup de foudre. Il était beau, intelligent, séduisant et je suis tombée amoureuse comme une gamine. J'ai cru que le coup de foudre était réciproque parce qu'il a largué instantanément toutes les bonnes femmes qui gravitaient autour de lui. Il m'a épousée et, sans que je ne lui demande rien, souscrit à mon profit des assurances-vie pour assurer mon avenir s'il lui arrivait quelque chose. Il faut dire qu'il vivait angoissé et hanté par le pressentiment d'une mort prématurée et soudaine. Il m'avait raconté qu'il avait rencontré une voyante qui lui avait fait les lignes de la main et annoncé qu'il mourrait jeune, de mort brutale. Et puis, très vite, les choses se sont dégradées. Dans tous les domaines. J'ai découvert un type égoïste, menteur, qui me trompait sans vergogne au vu et au su de tout le monde. Nous ne nous sommes jamais entendus sexuellement et nous avons eu des scènes de plus en plus violentes. Quand je dis violentes, il m'a frappée plusieurs fois et il m'est arrivé de répliquer. Un jour où je lui reprochais son comportement, il m'a giflée et, pour me défendre, je lui ai porté un coup avec un de ses clubs de golf qui traînait dans le salon. Je l'ai séché. Il a perdu conscience et j'ai cru que je l'avais tué.

Dolorès d'habitude si calme était visiblement sous le coup d'une terrible émotion en expliquant tout ça. Elle me regarda fixement.

– C'est ce jour-là que j'ai compris qu'il fallait arrêter tout ça. Il faut aussi que vous sachiez qu'à cette époque j'étais suivie par un psy et que je prenais pas mal de cachets. Et aussi que ma confidente était Sabrina.

Elle faisait visiblement un effort pour mettre ses souvenirs en ordre.

– Je vous rappelle que j'étais devenue la DRH de sa société et que je travaillais en liaison étroite avec Sabrina. C'était une fille assez fine qui lisait très bien en moi. Je savais qu'elle avait été la maîtresse de mon mari, mais elle et lui m'avaient convaincue que c'était de l'histoire ancienne. En fait, elle n'a jamais cessé de l'être. Bref, le connaissant aussi bien que moi, voire mieux, elle a vite compris ce que je vivais avec lui au quotidien. Je le soupçonne même de lui avoir raconté certains épisodes de notre vie intime pour corser un peu leur relation de tordus. Parce que c'étaient deux tordus. Elle m'a proposé à plusieurs reprises de participer à des partouzes sur Paris avec elle. Et puis, tout ça est parti en live. Alors que j'étais très déstabilisée par tous ces événements, elle m'a fait connaître Christine Beraud, l'ex de mon mari. Elle m'a expliqué que ça me ferait du bien de pouvoir échanger avec une femme qui avait sans doute connu les mêmes problèmes avec Grangeon. Je n'étais pas très chaude, mais c'est alors que s'est produit un événement grave. Un jour, à l'entreprise, j'ai entendu les échos d'une violente dispute entre mon mari et Sabrina. Je l'ai entendue hurler et lui sans aucun doute la frapper. Elle est sortie en pleurs de son bureau. J'ai rejoint mon mari, qui a tout nié, m'expliquant qu'il lui avait reproché son manque de rigueur profession- nelle et qu'elle avait fait une crise de nerfs. Mais le soir même, j'ai coincé Sabrina et lui ai demandé des explications. Elle m'a alors raconté que la fille de son mari qui était en 3$^e$ et avait fait un stage d'orientation dans la boîte lui avait confié avoir été agressée sexuel- lement par Grangeon. Elle m'a alors aussi avoué qu'elle était encore sa maîtresse ou que, plus exactement, il la forçait à avoir avec lui des relations sexuelles. J'étais complètement bouleversée par ses révélations et c'est à ce moment-là que nous avons commencé à nous ren- contrer avec Christine Beraud.

Elle se prit la tête dans les mains.

– Quelle conne j'ai été ! Comment ai-je pu me fourrer dans ce guêpier ?

– Que s'est-il passé, alors ?

– Voilà. Nous nous sommes vues à plusieurs reprises et les choses ont très vite mal tournées. Au début, on se montait un peu le bourrichon en bavant sur Grangeon. L'épisode de la gamine nous convainquait qu'il était devenu dangereux et c'est alors qu'insidieusement on en est venu à se dire qu'il mériterait de mourir, sans, naturellement envisager quoi que ce soit de concret. Sabrina était la plus remontée ou plutôt la plus réceptive aux idées de Christine. Elle lui disait et répétait : « À ta place, je le buterais ce salopard et je suis sûre que tu prendrais pratiquement rien devant une cour d'assises. » Au début, je prenais un peu ça à la rigolade et c'est là qu'est intervenu l'ami de Christine.

– Qui ? le gendarme ?

– Tout à fait. J'ai très vite compris que non seulement il était le compagnon de Christine, mais aussi qu'il couchait avec Sabrina et qu'il en faisait ce qu'il voulait. Et c'est là que le piège s'est refermé sur moi.

## 44

Dolorès s'est levée pour aller chercher un verre d'eau dans la cuisine et j'avais du mal à discerner la suite de l'histoire. Elle est revenue s'asseoir dans le fauteuil qui me faisait face. Elle tremblait un peu.

– Je vais vous expliquer ma descente aux enfers et pourquoi on en est là aujourd'hui. D'abord, je m'en veux de m'être laissée entraîner dans ces discussions de bonnes femmes, même si aujourd'hui je pense que tout ça était prémédité.

– C'est-à-dire ?

– Je pense que celui qui a manigancé tout ça, c'est Frédéric Lambert. Pour bien comprendre ce qu'a pu être son rôle, il faut revenir un peu en arrière, pas très longtemps après notre mariage. Armand a été victime d'une première tentative de chantage. Je la fais courte : il a été contacté par un homme qui disait détenir des vidéos de cul le concernant et menaçait de les mettre sur Internet s'il ne payait pas. Il lui avait envoyé un « échantillon » des images en sa possession et mon mari avait reconnu des scènes d'ébats datant de sa relation avec Christine Beraud. Il se souvenait qu'ils s'étaient filmés et ça ne pouvait que venir d'elle. Il m'en a parlé, je lui ai conseillé de ne pas céder et dès qu'il se manifesterait à nouveau, de l'informer qu'il allait déposer plainte. Le chantage a cessé immédiatement. Rétrospectivement, je suis sûr que Lambert était derrière tout ça. Mais revenons-en à cette période maudite où on se retrouve avec Sabrina et Christine. Très rapidement, Frédéric Lambert fait son apparition et participe à nos petites réunions. C'est un type sympa, intelligent, très beau mec. Très vite il commence à me draguer, d'abord de façon plutôt soft puis de façon très lourde. Je comprends qu'il sait beaucoup de choses sur moi et que cela résulte sans doute de confidences qu'a pu lui faire Sabrina. En particulier, il sait que je bénéficie de gros contrats d'assurances-vie de la part de mon mari. Comment le sait-il ? Armand traitait toutes ses affaires à l'entreprise, y compris les correspondances personnelles. Mais, celles-ci, la seule qui y avait accès c'est Sabrina. Il m'appelle souvent au téléphone, puis me bombarde de textos sans équivoque. Il me dit que je lui plais, que je suis une femme exceptionnelle, bref le baratin classique. J'accepte finalement de le voir seule à seul pour essayer de calmer le jeu. C'est là qu'il me parle de ma situation, me dit qu'il ne comprend pas comment je peux rester avec un type comme Grangeon qui ne me traite pas comme je le mérite. Il m'explique qu'il est fou de moi et que si je me libérais de mon mari, il serait prêt à s'occuper de moi, que sa relation avec Christine s'étiole depuis longtemps. Et puis, il m'avoue qu'il sait que si mon mari « disparaissait », je pourrais être une femme riche, libre, mais que j'aurais besoin d'un homme comme lui pour partager ma vie. Je suis abasourdie. Et ce jour-là, il va plus loin. Il me confie que cette « petite conne » de Sabrina est prête à buter mon mari et qu'il faut bien la laisser faire, parce que ça pourrait résoudre tous mes problèmes et qu'il sera là le moment venu.

Dolorès avait du mal à continuer.

– Je suis ressortie de ce rendez-vous complètement « lessivée ». Je ne savais plus où j'en étais et je me suis surtout rendu compte que j'étais embringuée dans un truc qui commençait à me dépasser complètement. Et c'est là que j'ai commis une deuxième erreur.

Elle me regarda avec un air désespéré, mais je commençais déjà à entrevoir comment le piège avait pu se refermer.

– J'ai couché avec lui. Dans la période qui a suivi ce rendez-vous, il ne m'a pas lâchée, me harcelant d'appels et de textos. Je ne dis pas ça pour me justifier mais c'était une période où j'allais mal et où mes rapports avec mon mari étaient épouvantables. J'ai accepté de venir prendre l'apéritif chez lui un soir où, m'avait-il dit, Christine était partie rejoindre sa mère qui vivait dans le Sud et avait un problème de santé. Je ne sais plus vraiment pourquoi je suis venue. Pour lui dire d'arrêter, ou parce que j'avais envie de faire l'amour. En y allant, je me disais que c'était une connerie, mais j'y suis quand même allée et j'ai couché avec lui. Je ne dis toujours pas ça pour me justifier, mais ce soir-là on a beaucoup bu et je me demande même s'il ne m'a pas droguée.

– Qu'est-ce qui vous fait penser qu'il aurait pu vous droguer ?

– Parce que le lendemain je n'allais pas bien du tout et puis que j'ai des flashs étranges sur cette nuit.

– Quel genre ?

– J'ai l'impression qu'à un moment Christine était dans ce lit avec nous.

– Je vois.

– Oh non, vous ne voyez pas tout. La suite est encore pire.

Elle finit de descendre son verre d'eau.

– À partir de là, il a complètement changé. Et dans les jours suivants, j'ai compris qu'ils allaient passer à l'acte. Je n'ai pas eu le temps de réagir. Mon mari a disparu et on l'a retrouvé mort. Et c'est là que j'ai compris que je m'étais fait piéger. Parce qu'à partir de là, le ton et nos rapports ont changé. Sabrina s'est fait arrêter très rapidement, mais ce n'est pas ce qu'ils avaient prévu.

– Quel était le plan d'après vous ?

– Très simple. Ils tuaient mon mari, j'héritais, et ils me faisaient chanter pour qu'on partage l'héritage. C'est ce qu'ils ont fait dans le cadre de ce qui devenait un plan B après l'arrestation de Sabrina.

– Comment ça s'est passé ?

– Très simple. Lambert et Christine sont venus me voir après son interpellation. Ils m'ont dit qu'elle ne parlerait pas, mais qu'en cas de problème, on serait tous dans la même galère. Comme je feignais de ne pas voir en quoi j'étais concernée par ce qu'ils avaient manigancé, Frédéric Lambert m'a rappelé toutes les réunions où nous avions évoqué la mort de mon mari et il m'a laissé entendre qu'il en avait gardé des traces. Et que si on tombait, on tombait tous. Il m'a dit qu'il allait falloir assumer et assister cette « pauvre Sabrina ». Qu'ils se chargeraient de gérer le pécule qu'on allait mettre de côté pour elle avec mon héritage et qu'il faudrait bien sûr aussi les « indemniser ». Je n'ai pas eu beaucoup le choix. Pour finir de me convaincre, il m'a montré une vidéo de notre nuit et expliqué que ce serait dommage qu'elle finisse sur la toile.

Tout en l'écoutant, j'essayais d'évaluer la situation, qui n'était pas vraiment bonne.

– Il y a des traces de vos « paiements » ?

Dolorès réfléchissait. Elle secoua la tête.

– Oui et non.

– L'argent en Suisse ?

– Oui, les donations. Mais on a trouvé un avocat à Genève qui a monté une usine à gaz compliquée qui, normalement, devrait rendre totalement opaque l'accès aux vrais bénéficiaires des fonds.

– Vous m'avez tout dit ?

– Pas tout hélas.

## 45

À ce moment-là, mon téléphone a sonné. C'était Svetlana que j'avais totalement oubliée. J'allais demander à Dolorès l'autorisation de lui répondre mais elle anticipa.

– Allez-y. J'ai honte de vous monopoliser.

La jeune femme était surexcitée. Elle me demanda si j'avais lu la presse au sujet de son affaire et de lui confirmer que je pourrai bien la voir dans l'après-midi. En effet, les journaux annonçaient qu'un juge d'instruction était désormais saisi du dossier et confirmait la prochaine audition de tous les protagonistes pour le lendemain. Je calculais rapidement qu'il me faudrait consacrer encore au moins une heure à mon assistante et lui fixai rendez-vous au cabinet pour 16 heures. Dolorès s'était à nouveau absentée et j'ai attendu quelques minutes qu'elle revienne. Elle paraissait toujours aussi stressée.

– Je peux vous poser une question ?

– Évidemment.

– Je pense que vous allez mettre un terme à notre collaboration ?

– Pourquoi le ferais-je ?

– Parce que cette histoire va nuire à la réputation du cabinet si je reste.

– Ce n'est pas comme ça que je vois les choses. Au contraire. Si vous en êtes d'accord, je vous attends demain matin pour notre briefing habituel.

Un sourire éclaira enfin son visage.

– Dans ce cas, ça vous ennuie si je reviens dès cet après-midi ? Je vais devenir folle si je reste à rien faire.

– Je n'y vois que des avantages. Dolorès, on reprendra tout ce que vous m'avez raconté dans les détails. Vous voyez quelque chose d'important à ajouter ?

Elle reprit un air sombre.

– Oui. Mais je ne sais pas comment vous le dire.

– Dolorès, c'est le moment de tout me dire.

– Bon. Je me fais beaucoup de souci pour Claire.

– Pourquoi ? Qu'est-ce qu'elle vient faire dans tout ça ?

– Voilà. Je crois qu'elle aussi s'est fait piéger dans cette histoire.

– Comment ça ?

– Là aussi, je ne sais pas par où commencer. Claire a été l'avocate de la fille en cellule avec Sabrina, une Albanaise je crois.

– C'est exact.

– Un jour où Lambert et Christine m'avaient fait venir pour parler de mes règlements, je suis arrivée plus tôt que prévu et j'ai surpris une conversation entre eux. Il lui expliquait que Sabrina l'inquiétait et qu'il ne faudrait pas qu'elle finisse par parler. Il savait qu'elle était en cellule avec une Albanaise qu'il avait eue à traiter dans une affaire de stups et qu'il avait gardé des contacts avec elle, parce qu'elle était une de ses informatrices, à l'époque. Il disait qu'il allait voir ce qu'il allait pouvoir faire.

– Et alors ?

– Curieusement, peu de temps après, cette fille a choisi votre collaboratrice pour assurer sa défense. Mais ça, je ne l'ai su que plus tard. Mais c'est ce que j'ai découvert qui m'a horrifiée.

– Qu'est-ce que vous avez découvert ?

– Un jour, Claire m'a parlé de ce dossier et la conversation a tourné aux confidences de « filles ». C'est là qu'elle m'a dit qu'en fait elle avait été mandatée par le frère de sa cliente. Un mec très beau qui venait en rendez-vous souvent après les horaires habituels et qu'elle était assez sensible à son charme. J'ai eu un flash et un soir où j'avais vu sur son agenda que le fameux frère avait rendez-vous, je suis restée en bas du cabinet, un peu à l'écart, pour voir sa tête. Et vous savez qui c'était ?

– Je crois, oui… Frédéric Lambert ?

Tandis que nous roulions vers le cabinet, j'essayais de mettre de l'ordre dans mes idées. Petit à petit, le puzzle de l'affaire Grangeon se mettait en place et le rôle qu'avait joué Dolorès, si elle me disait bien la vérité, était plus celui d'une victime collatérale du crime que d'une coupable. Demeuraient les apparences et les interprétations qui pourraient en être faites. Restaient surtout Christine Beraud et Frédéric Lambert et ce qu'ils raconteraient s'ils se sentaient pris à la gorge. J'avais oublié qu'on ne l'avait pas retrouvé celui-là. Où pouvait-il être ? La cliente d'Ambre Clerc avait dû garder le silence devant la juge comme elle l'avait fait à la police et il serait toujours temps de demander à ma consœur quelle attitude elle entendait adopter pour la suite. Quant aux preuves matérielles, si les magistrats et les enquêteurs avaient décidé de déclencher les interpellations, les perquisitions et les gardes à vue avant de les avoir réunies, c'était sans doute qu'ils ne comptaient pas trop pouvoir trouver quelque chose de solide. La commission rogatoire internationale suisse n'avait rien dû donner et la complexité du montage n'avait sans doute pas pu permettre de le démonter. Dolorès n'était donc pas en danger immédiat et, de toute évidence, la levée de la garde à vue de Claire Dalbret démontrait que, dans ce volet du dossier aussi, on n'en était qu'à des hypothèses sur son degré de participation éventuelle à l'assassinat de Sabrina. Au fond, le seul qui pouvait débloquer la situation, c'était Frédéric Lambert, et les policiers n'avaient pas mis la main dessus. Et comme il ne parlerait sûrement pas, encore faudrait-il qu'il soit mis en cause par son ex-compagne (impossible, sinon elle s'impliquerait elle-même), l'Albanaise, Dolorès ou Claire. Or, l'Albanaise avait disparu de la circulation et Dolorès comme Claire n'y avaient aucun intérêt sous peine elles aussi de se retrouver en difficulté.

Ce front étant provisoirement sous contrôle, restait à gérer la belle Svetlana qui faisait les cent pas dans la salle d'attente à mon arrivée. Tandis que Dolorès reprenait possession de son bureau au grand soulagement de mon stagiaire, j'introduisais la jeune femme dans le mien. Je n'ai pas eu le temps de m'asseoir qu'elle exhibait triomphalement un MacBook Air qu'elle avait extrait de son sac, en m'interpellant, très excitée :

– C'est de la dynamite. Vous n'imaginez pas tout ce qu'il a consigné. Mais surtout, tous ceux qui étaient présents au château de Bagnols cette nuit-là avaient vraiment intérêt à ce qu'il ne parle pas.

– Par qui on commence ?

Ce qui est merveilleux dans ce métier, surtout quand on est pénaliste, c'est le jonglage intellectuel. On passe d'un type qui a tué sa compagne parce qu'elle le trompait à une femme qui a tué son nouveau-né, d'un ado qui a violé sa copine à la récré, d'un médecin qui fait des fausses ordonnances à un comptable qui part avec la caisse. On balaye toutes les classes sociales, d'âge, on rencontre des gens de toutes les couleurs et on en revient toujours à la même conclusion : la nature humaine est totalement imprévisible et les turpitudes, universelles. Ça rend modeste, pessimiste, un rien paranoïaque car on se persuade rapidement qu'on est entouré de détraqués. Et puis ça rend humble aussi, parce qu'on se dit que le meilleur d'entre nous peut basculer dans l'effroyable.

Après avoir plongé dans les méandres d'une machination machiavélique, voilà que j'allais être maintenant confronté aux magouilles du sport le plus populaire de la planète. Ah, le foot ! mon sport préféré, depuis ma plus tendre enfance quand mon père m'emmenait le dimanche après-midi, été comme hiver, au Stade Geoffroy-Guichard. Il n'y avait pas de parking et il garait notre vieille Frégate vers une voie ferrée désaffectée à quelques centaines de mètres du stade. Je me souviens encore qu'il me tenait par la main en me répétant que le foot était un sport, un jeu, qu'un jour on gagnait, un autre on perdait et qu'il ne fallait pas être malheureux pour autant. Qu'il fallait respecter les arbitres, même quand ils se trompaient, et ne jamais insulter les joueurs de l'équipe adverse. Mon pauvre père, à la fin de sa vie il n'était pas sûr de toujours bien comprendre ce qu'était devenu son sport favori. Une gigantesque entreprise commerciale avec des intérêts financiers colossaux et des supporters transformés en armées des temps modernes. Des stades immenses où se célèbrent les offices sacrés de notre époque : on y chante, on y crie, on y pleure, on exulte, en croyant toujours à la magie du sport tandis que l'argent-roi dicte sa loi. Ce monde qui passionne les foules et qu'on ne peut pénétrer qu'en faisant partie de la « famille ». Ce monde je le connaissais bien et étais bien convaincu, avant même que Svetlana ne commence à me parler du contenu de l'ordinateur de son père, que rien de ce qu'elle allait pouvoir me raconter me surprendrait vraiment.

# 47

Je n'ai pas eu le temps de répondre à la jeune femme que déjà celle-ci avait fait le tour de mon bureau, approché un des sièges habituellement réservés aux clients et mis en route l'ordinateur. De toute évidence, elle n'avait pas eu beaucoup de mal pour craquer le mot de passe puisque étaient apparues quasi instantanément de très nombreuses icônes qui masquaient en grande partie un fond d'écran représentant, tout un symbole, un ballon de foot éventré d'où s'écoulaient des billets verts. Assise à côté de moi, elle me jeta un coup d'œil interrogateur.

– Plutôt que « par qui », j'ai envie de vous demander « par quoi », voulez-vous qu'on commence ?

J'avais l'esprit encore un peu embrumé par l'histoire que venait de me raconter mon assistante et, à vrai dire, je n'avais pas vraiment d'opinion. Svetlana s'en était rendu compte et décida d'elle-même de la façon de présenter les choses.

– Bon. D'abord, que je vous explique l'idée générale. Mon père a regroupé par dossiers un certain nombre de thèmes et d'affaires. Par exemple, « dopage », « matchs truqués », « corruption de dirigeants », « transferts », « agents »… Et comme c'était un méticuleux, pour chaque affaire, donné des dates, apporté des preuves, joint des vidéos. Je vous dis tout de suite qu'il y a de quoi faire exploser la « planète foot ».

Songeuse, elle ajouta.

– Même si je crois qu'au bout du compte, tout le monde s'en fout. Les supporters parce que rien ne les choque pourvu que leur équipe gagne, les médias parce que ça les fait vivre et la plupart des dirigeants et des agents parce que, quoi qu'il arrive, ils continueront à s'en mettre plein les poches. Je n'étais pas loin de partager cette triste mais réaliste analyse. J'allais lui demander de commencer par ce qui pouvait être directement en rapport avec la mort de son père, mais elle anticipa.

– Je sais ce que vous allez me dire : « parlons tout de suite de ce qui pourrait être à l'origine du meurtre de votre père » mais je ne peux pas résister à l'envie de faire partager au passionné de foot que vous êtes quelques histoires qui vous intéresseront.

J'ai fait semblant de montrer que ça n'était pas le moment, mais je me suis laissé faire. Svetlana a aussitôt embrayé.

– On va commencer par le dopage, même si ce n'est pas le plus important. Vu sa proximité avec certains clubs, mon père savait tout de leurs petites recettes pour optimiser les performances des joueurs. Bon, on n'est pas dans le cyclisme où il faut que les mecs roulent comme des machines sans sentir ni la fatigue, ni le mal. Il s'agit surtout de « vitamines » que la plupart des médecins ou membres du staff médical préparaient pour que les joueurs puissent répéter des efforts violents pendant la plus grande partie d'un match. On ne va pas rentrer dans les détails mais si vous avez le temps, vous prendrez connaissance de tous les éléments qu'il a réunis. Vous verrez que dans les années 70 les Hollandais étaient des précurseurs dans ce domaine et que leur football « total » n'était pas seulement le résultat d'une condition physique exceptionnelle. En France, l'usage du Captagon dans les années 80 était courant. Et même s'il a été considéré à partir des années 90 comme un produit dopant, il a continué à être utilisé. Il faut dire que les contrôles antidopage étaient de la rigolade. Vous lirez une anecdote amusante qu'il relate : on prévient en cours de seconde mi-temps le staff d'un grand club français que deux de ses joueurs feront l'objet d'un contrôle en fin de match. Les numéros des joueurs sont communiqués à l'entraîneur qui les fait sortir avant la fin. Curieusement, ils filent direct aux vestiaires et quittent le stade avant que les inspecteurs ne soient en place.

Je n'ai pas pu m'empêcher de jeter un œil pour vérifier de quel club il s'agissait. Je n'ai pas été étonné. Passant sur la page suivante du dossier, Svetlana s'attarda sur le cas d'un grand club italien, unanimement respecté.

— Et là ! On est à la fin des années 90, vous lirez les comptes- rendus des perquisitions effectuées au stade d'entrainement : 281 sortes de médicaments ont été retrouvées dont des stimulants, des corticoïdes, des hormones peptidiques. Certains joueurs entendus, dont des stars, diront que quand on leur faisait des injections pour leur « faire du bien », ils ne se posaient pas de question sur la nature du produit. Ils parlent même de perfusions de vitamines à l'hôtel avant les matchs ou de piqûres de néoton. Vous voulez qu'on passe à la période la plus récente ?

Elle était très excitée mais si on rentrait dans les détails, on allait en avoir pour des heures. Une fois de plus, elle anticipa ma réaction.

– Je sais, je sais, vous n'avez pas toute la nuit à me consacrer…

Avec un sourire enjôleur, elle ajouta :

– Même si c'est sans doute dommage… mais pour bien comprendre ce qui a pu motiver ce crime, il faut bien se replacer dans le contexte, non ?

– Je suis d'accord, mais on ne va pas avoir le temps de relire les tonnes de documentation ou de témoignages que votre père a réunis.

Elle m'interrompit d'un geste.

– Ok. Mais avant d'en venir aux événements récents, on jette juste un œil sur quelques histoires de matchs truqués et d'agents pas nets, ça vous va ?

– Si vous voulez.

J'avais bien compris que même si je ne l'avais pas voulu, elle l'aurait fait quand même. Elle enchaîna avec gourmandise :

– On va dans le dossier « matchs truqués » ! Une folie, là encore je ne vais pas tout vous faire lire, mais mon père confesse être intervenu à plusieurs reprises comme intermédiaire pour « approcher » des arbitres. On est dans les années 70, 80 et même 90, à des époques où les matchs ne sont pas filmés et disséqués par vingt ou trente caméras de télé. On ne parle même pas de la VAR. Beaucoup d'arbitres, et non des moindres, ont été corrompus pour « influencer » le cours de matchs. Comment ? Basique. L'enveloppe, les cadeaux, plus ou moins importants, les putes. Soit, dès qu'ils étaient désignés par l'UEFA, on leur rend une petite visite, soit on profite de leur présence obligatoire la veille de la rencontre, dans la ville où elle se déroule, pour les « conditionner ». Ça permet de mieux comprendre « l'arbitrage à domicile », non ?

« Il cite des noms, des lieux, la nature des cadeaux, il notait tout. Même les refus polis de quelques honnêtes hommes qui ont fait semblant de ne pas comprendre le sens de ses démarches. Et puis il a fait une compile vidéo de quelques matchs arrangés. Vous verrez, c'est très bien fait : des hors-jeux limites dans un sens ou dans un autre, des pénalties discutables, des expulsions contestables, il y a toute la gamme ! Il y a même les coups francs qu'on accorde à l'équipe qu'on entube pour couper une action dangereuse en sa faveur. Du très grand art !

Terrible. J'avais, comme tout spectateur et surtout acteur de ce monde, suspecté quelques magouilles, je découvrais que la réalité dépassait sans doute la fiction. Mais la jeune femme était intarissable.

— Bon, les arbitres c'est un peu banal, mais vous verrez qu'il y a plus, disons, efficace.

— Qu'est-ce que vous voulez dire ?

— Tout simple ! La corruption d'un ou de plusieurs joueurs de l'équipe adverse !

— Vous voulez parler du match OM–VA ?

— Pas que ! C'est la partie visible de l'iceberg, le coup malheureux où on se fait piquer, mais hélas il y a eu beaucoup d'OM-VA restés dans l'ombre. Des joueurs sollicités pour provoquer un penalty, pour simuler une blessure ou rater une intervention décisive. Indémontrable. Même si, presque tout le monde, dans les instances supérieures, savait et se taisait « dans l'intérêt supérieur du football ».

— Votre père détenait aussi des preuves de telles magouilles ?

— Il a même enregistré à leur insu des conversations avec ceux qui le mandataient ou lui demandaient de se taire.

– Des menaces ?

– Il y en a eu, et vous comprenez mieux maintenant le nombre de gens qui avaient intérêt à ce que ses révélations ne soient jamais rendues publiques.

## 48

J'avais, comme tous ceux qui avaient un peu pénétré le milieu du sport professionnel, entendu parler d'un certain nombre de ses dérives, mais ce qui était impressionnant, c'était de voir comment cet homme, souvent au cœur de ces événements, en avait conservé les preuves. Dans quel but ? Vous vous demandez pourquoi il s'est ménagé des preuves de toutes ces magouilles, je crois tout simplement pour assurer sa propre sécurité. Vous savez, c'est une « famille » dans laquelle tout le monde connaît toutes les turpitudes de l'autre, mais où on se tient « par la barbichette », comme on dit. Sauf que, de temps en temps, les intérêts peuvent être si importants qu'on n'est plus sûr de rien.

Elle cliqua sur une autre icône et bascula sur un autre dossier.

– Regardez cette histoire. Il raconte qu'un club avec qui il travaille « en confiance » est en difficulté après un match aller de Champion's League perdu contre toute attente dans un obscur pays d'Europe de l'Est. On lui demande d'aller essayer d'arranger le match retour en proposant aux dirigeants de ce club de leur fournir des équipements flambants neufs pour toutes leurs équipes et de financer « amicalement », via un sponsor la rénovation de leurs installations qui datent de cinquante ans. Les autres font mine d'accepter, et reçoivent « une petite avance ». Le match retour débute, mais sur une action tordue, leur équipe marque un but qui oblige désormais leur adversaire à en marquer trois pour pouvoir se qualifier. Et, en plus, sur le terrain, les joueurs de l'Est se prennent au jeu et semblent avoir oublié les « consignes ». Que faire ? Dans l'urgence, il est décidé une manœuvre risquée, mais désespérée. Comme à la mi-temps on fournit aux « visiteurs » les packs de flotte pour permettre aux joueurs de s'hydrater, on va leur refiler de l'eau à laquelle on a ajouté des vomitifs et des anesthésiques. Moralité, dix minutes après être revenus sur le terrain, plusieurs joueurs sont pris de nausées, d'autres curieusement apathiques et au bout du compte, leur équipe prend cinq buts et est éliminée. Leurs dirigeants comprennent bien sûr qu'ils se sont fait baiser, surtout qu'au retour au pays, leurs médecins découvrent les traces de produits dans les urines de plusieurs joueurs. Fous de rage, ils se retournent contre mon père, qui a servi d'intermédiaire, le somment d'obtenir désormais la contrepartie initialement prévue sous peine de tout révéler. Ceux qui l'ont envoyé refusent tout arrangement dans la mesure où rien n'est plus démontrable. Il va alors faire l'objet de menaces des deux côtés et ne parviendra à calmer tout le monde qu'en expliquant à chacun qu'il a les moyens, lui, de dévoiler le marché qui avait été conclu, ce qui aurait entraîné des sanctions très graves de l'UEFA pour les deux clubs.

Svetlana ne me laissa pas réagir et bascula sur le dossier « agents ».

– Allez, une dernière histoire pour la route sur les mœurs et coutumes d'un certain nombre d'agents « troubles ». Mon père raconte l'histoire d'un de ses amis, agent muni de la licence FIFA, qui négocie le transfert d'un de ses joueurs. Il attend la venue de son client à l'hôtel pour aller, en sa compagnie, signer le contrat au siège du club. Rien ne se passe. Il appelle tout le monde, personne ne lui répond. Il finit plusieurs heures plus tard par avoir le joueur au téléphone. Il lui explique qu'à son arrivée à l'aéroport, deux types l'attendaient. Ils lui ont expliqué que s'il voulait signer, il fallait passer par leur intermédiaire, qu'ils étaient les seuls agents avec lesquels le club travaillait, que son propre agent était d'accord et que de toute façon il toucherait sa part de commission. Ils lui ont paru menaçants, sûrs d'eux, et il a préféré ne pas faire d'histoire. Édifiant, non ? Je connaissais cette histoire et beaucoup d'autres du même tonneau. C'est même ce qui m'avait poussé à prendre de la distance avec le milieu.

Je hochais la tête.

– Toutes ces sombres histoires auxquelles votre père a été mêlé ne m'étonnent pas plus que ça. Ce qui est plus surprenant et effectivement dangereux pour lui, c'est que beaucoup de ceux qui y ont participé pouvaient se sentir en danger s'ils avaient su qu'il allait révéler tout ça. Vous pensez que ça se savait ?

– Difficile à dire. Je ne sais pas si cette conne de journaliste s'était vantée de sortir de telles informations dans son émission, si elle avait pris des contacts dans le milieu du foot pour prévoir ensuite de faire réagir certains.

Elle ajouta avec une moue dubitative.

– En tout cas, d'ores et déjà, tous ceux qui étaient là ce soir-là n'avaient aucun intérêt à ce qu'il se lâche.

Elle referma l'ordinateur, passa de l'autre côté du bureau, s'enfonça dans un fauteuil client, s'étira langoureusement et, après avoir rassemblé ses idées, me fixa longuement.

– Je vais maintenant tout vous expliquer sur les raisons qui auraient pu pousser les uns ou les autres à le faire taire plus précisément et à récupérer les preuves de ce qu'il allait balancer.

# 49

Au moment où elle s'apprêtait à commencer son récit, on frappa doucement à la porte de mon bureau. Je me demandais qui pouvait avoir pris cette initiative quand tout le monde sait bien, au cabinet, que je déteste être dérangé quand je suis en rendez-vous. J'ai alors aperçu, dans l'entrebâillement, Dolorès, visiblement fatiguée. Elle s'excusa de son intrusion et m'indiqua simplement qu'elle ne se sentait pas très bien, qu'elle avait sans doute présumé de ses forces et qu'elle rentrait chez elle pour récupérer. Elle serait là demain matin. Je l'encourageai à vite y aller et m'apprêtai à faire signe à Svetlana d'attaquer ses explications quand la sonnerie de mon mobile retentit. Je reconnus aussitôt celle que j'avais attribuée à Julien Couderc. J'allais couper mon Iphone pour ne plus risquer d'être dérangé quand l'insistance de ses appels m'a signifié que plutôt que de me laisser un message mon jeune confrère voulait me parler d'urgence. Svetlana avait compris, elle aussi, que cet appel devait être urgent et me fit signe de prendre la communication.

À son ton, j'ai tout de suite compris que Julien Couderc était inquiet.

– Je peux vous parler ?

– Bien sûr. Que se passe-t-il ?

– Voilà, peut-être que je me fais des films mais je m'inquiète pour Claire.

– Pourquoi ?

– Elle m'a laissé un message ce matin pour me dire qu'elle avait eu un problème, mais qu'elle allait à un rendez-vous ce soir qui pourrait avoir beaucoup d'importance pour la suite de son affaire. Elle me disait qu'elle me rappellerait pour m'en parler.

– Elle vous a dit avec qui ?

– Non. Mais surtout, je n'ai pas de nouvelles depuis.

– Peut-être qu'elle n'a pas encore eu le temps de vous en donner.

– Ça m'étonnerait. C'était ce matin et nous sommes à la fin de journée.

– Vous avez essayé de la joindre ?

– Oui et c'est bien ce qui me perturbe, je tombe directement sur le répondeur.

Je ne savais trop que lui dire, ni qu'en penser. Et puis je voyais devant moi mon interlocutrice qui commençait à s'impatienter.

– Essayez de passer chez elle. Et tenez-moi au courant.

– Vous avez raison. Je vais y aller et je vous tiens au jus.

Cette fois, j'ai coupé la sonnerie, posé mon téléphone bien en vue sur mon bureau et donné la parole à la fille de Nicolas Ivanovitch.

– Ce que je vais vous expliquer est le fruit des éléments qui figurent dans le dossier de mon père, de ce que j'ai appris moi-même sur ce transfert et d'autres infos que j'ai grappillées de mon côté. Tout commence au Nigeria, quand mon père est devenu l'agent d'Ikpebo, il y a une dizaine d'années. Il avait fait un voyage près de Port Harcourt où un type qu'il avait connu, je ne sais ni où ni comment, avait monté une « académie » pour jeunes footballeurs pour détecter des jeunes talents. En fait, un joli mot pour recouvrir une véritable activité de rabattage pour agents pas trop regardants sur l'âge des garçons qui en faisaient partie. Le gamin était la pépite de son centre et il avait fait venir mon père pour qu'il l'emmène en Europe, où il était sûr qu'il ferait une grande carrière. Apparemment, il a d'abord été sceptique. Il n'était pas certain de son âge réel. Vous savez, comme moi, que dans ces pays ce n'est pas compliqué de falsifier les documents de naissance pour « rajeunir » les jeunes adultes. Et puis il avait une nombreuse famille et tous voulaient croquer. Une nombreuse et dangereuse famille : ses frères et une de ses sœurs dirigeaient un gang qui envoyait des filles en Europe pour qu'elles se prostituent pour leur compte. Ils voulaient bien qu'il s'en occupe à condition de toucher eux aussi. Mon père a failli abandonner mais le gosse était doué, un buteur exceptionnel, et pouvait donc à la fois réussir et rapporter beaucoup d'argent. La concession majeure qu'il a dû faire a été d'accepter d'avoir la sœur dans ses pattes.

« La fille était la plus intello de la famille et attaquait le droit à l'université de Lagos. Elle a passé ou plutôt acheté auprès de la Fédération nigérianne de football sa licence d'agent et ils se sont mis d'accord pour faire fifty-fifty sur les transferts et sur les coms prises sur les salaires du joueur. Dans un premier temps, tout se passe bien et Ikpebo après des débuts fracassants dans le championnat de France est transféré en Angleterre, à West Ham, où il gagne très bien sa vie et figure dans les bons attaquants de la Premier League. Malheureusement, il y a cinq ans, il a une grave blessure et se pète les ligaments croisés du genou. Opération, rééducation, dix mois loin des terrains. Il finit par revenir mais a perdu pas mal de ses qualités originelles. C'est alors que, toujours par l'intermédiaire d'Ivanovitch, Toulouse entre dans la danse. Ils se font prêter le joueur avec une option d'achat obligatoire minime de cinq millions d'euros s'il joue au moins vingt-cinq matchs dans la saison. West Ham pense que le joueur est cuit et que de toute façon, il ne jouera pas vingt-cinq matchs dans la saison.

« Or, Ikpebo refait surface, marque but sur but et, bien que souffrant du genou, dispute une trentaine de matchs dont certains avec des infiltrations ce qui est très mauvais pour ses cartilages. Peu importe, personne n'en sait rien et au terme de la saison Toulouse lève l'option pour cinq millions et, toujours grâce à mon père, vend dans la foulée, le joueur, trente millions d'euros à Dnepropetrovsk. Fantastique culbute non ?

– Je suppose qu'à ce moment-là, tout le monde est content !

Elle acquiesça.

– Évidemment, et c'est peu de le dire ! En revanche, l'envers du décor est moins reluisant.

– Il me semblait bien que tout ça était trop beau. Allez, racontez-moi la manip, même si j'ai quelques idées sur la question.

Elle se concentra à nouveau.

– Je vais essayer de rien oublier. Voilà, mon père était à cette époque très proche du président de Toulouse et ils ont compris qu'ils pourraient faire un très beau coup avec Ikpebo. Le joueur se morfondait après sa blessure à West Ham mais avait peut-être une chance de se refaire la cerise en France. Ce pouvait être un pari gagnant. Il suffisait d'obtenir des Anglais un prêt avec une faible option d'achat, de la lever et de trouver quelqu'un à qui le revendre à prix d'or. Ivanovitch s'est occupé de tout et s'est mis d'accord avec les Ukrainiens. Ceux-ci étaient pleins aux as à cette époque grâce à un mécène pétrolier qui avait acheté le club. Il s'est d'abord « arrangé » avec le directeur sportif qui avait quelques doutes sur l'état du genou d'Ikpebo. S'il convainquait son président de le prendre, ils toucheraient tous les deux. Comment ? Le montant du transfert serait versé pour un tiers à Toulouse soit dix millions et les deux autres tiers soit vingt millions à une société d'image censée gérer les droits du joueur et basée aux Îles Vierges. C'est cette société qui les rémunèrerait : un million d'euros chacun versés sur les comptes qu'ils désigneraient dans le pays de leur choix. Il n'a pas eu beaucoup de mal à les convaincre. Quant aux dix-huit millions d'euros restante, c'est mon père et le président toulousain qui devaient se les partager. Le problème, c'est qu'un journaliste d'investigation qui s'intéressait aux affaires du foot s'est mis sur le coup des « transferts juteux » et a réussi à démonter à peu près l'opération mais sans pouvoir apporter la moindre preuve. Il a publié un article qui a entraîné la démission du dirigeant de Toulouse qui, par parenthèse, n'a jamais touché son argent. Personne n'a cherché des noises aux Ukrainiens qui, eux, ont récupéré leur part. Quant à Ikpebo et sa sœur, ils ont compris qu'ils avaient été les dindons de la farce mais se sont trouvés dans une situation impossible. Les vingt millions avaient bien été versés à une société d'image que rien ne l'empêchait juridiquement de posséder. Sauf que c'était Ivanovitch qui l'avait créée et, naturellement, dissoute ensuite, tout en transférant les fonds à une nouvelle société, panaméenne celle-là, sur laquelle il était quasiment impossible de « remonter ». Pas besoin de vous faire un dessin, au bout de la chaîne, le bénéficiaire c'était mon gentil papa.

Quelle usine à gaz ! La seule chose qui paraissait évidente c'est que tous les hôtes du château de Bagnols avaient eu pour des raisons diverses des mobiles solides pour tuer Nicolas Ivanovitch. Une raison commune, d'abord, sauf pour le joueur nigérian : à savoir le risque de la révélation de leurs propres turpitudes. Pour l'ex-président toulousain s'ajoutaient sa déchéance et le fait qu'il avait au bout du compte fait tout ça pour rien puisqu'il n'avait rien touché. Pour Ikpebo, sa rancœur d'avoir été utilisé et de n'avoir bénéficié de rien sur le montant du transfert qui avait été quasi totalement détourné. La volonté par ailleurs d'Ivanovitch de communiquer sur l'état de son genou pour faire échouer son transfert à Galatasaray. J'en étais là de mes méditations quand Svetlana a conclu, énigmatique.

– Vous voyez bien qu'ils avaient tous de bonnes raisons de le buter, sans doute meilleures que les miennes, encore que...

## 50

La nuit était tombée. J'avais machinalement allumé ma lampe de bureau tandis qu'elle déroulait son récit. J'avais mal à la tête et des difficultés à remettre mes idées en place. Une fois de plus Svetlana prit la direction des opérations.

– On va dîner ? Je vois que vous êtes fatigué. On se prend juste un truc léger mais ça nous permettra de nous mettre au point pour demain.

J'avais complètement oublié qu'elle était convoquée le lendemain pour un interrogatoire et qu'elle voulait que je l'assiste.

– Pourquoi pas ? Mais vite fait, je suis rincé ce soir.

– Vous connaissez un endroit dans le coin ?

J'ai répondu oui, sans trop savoir où j'allais l'emmener. On s'est retrouvé chez Daniel et Denise où on a commandé des quenelles tandis que je jetais un œil sur mon téléphone. Julien avait essayé de me joindre à nouveau. J'ai un peu culpabilisé en me décidant à ne l'appeler qu'après le repas. En même temps, sans pouvoir préciser la menace, j'éprouvais un mauvais pressentiment. J'étais perdu dans mes pensées. Svetlana m'observait et j'ai cru lire une forme de compassion dans son regard. C'est elle qui rompit le silence.

– Vous n'en avez pas marre de vous user les nerfs et la santé à défendre toutes ces crapules ?

J'ai ricané.

– Je ne défends pas que des « crapules » comme vous dites, la preuve, je suis votre avocat !

À son tour elle se mit à rire, visiblement heureuse d'avoir un peu détendu l'atmosphère.

– Bien répondu, mon cher maître. Mais vous voyez très bien ce que je veux dire. Comment peut-on s'investir comme vous le faites dans un métier qui consiste, pour vous les pénalistes, à tenter de faire échapper à la justice des gens qui mériteraient des sanctions exemplaires ?

Je n'avais pas envie de rentrer dans des explications compliquées, ni de rabâcher des arguments mille fois déployés. Mais si je me moque de l'opinion des gens qui ne présentent pas beaucoup d'intérêt pour moi, j'essaye toujours de faire comprendre aux autres ce qui me fait fonctionner.

– La question ne se pose jamais de cette façon-là. Défendre est un métier de passion, quel que soit celui qui remet son sort entre vos mains, accusé ou victime, c'est la même chose.

Elle hocha la tête.

– Pas tout à fait quand même. Vous êtes soit du côté du bon droit, soit de celui qui l'a transgressé. Ça ne peut pas vous laisser indifférent.

– Je ne suis pas là pour préjuger celui que je défends, ma tâche consiste simplement à faire prévaloir les explications qu'il donne.

– Même quand il raconte n'importe quoi ? Même quand il s'agit d'un monstre ?

– Qui suis-je pour décider que ce qu'il dit est n'importe quoi ? Quant au « monstre » c'est souvent un petit bonhomme insignifiant que vous rencontrez au parloir avocat. Apeuré, dépassé par ce qu'il a fait et qui arrive même souvent à s'autoconvaincre qu'il n'a pas pu commettre le crime affreux qu'on lui reproche. La peur du châtiment rend souvent lâche et les criminels sont souvent décevants. En tout cas, bien plus fragiles que l'opinion publique ne les imagine. Alors, oui, même le pire d'entre eux, quand je le vois ainsi à l'abandon, sans espoir, face à la machine judiciaire qui va le broyer, j'ai envie de le défendre.

— Vous ne seriez pas un peu maso ?

J'ai souri.

— Je crois, oui ! Au début, quand vous prenez la défense d'un type ou d'une femme qui fait horreur à tout le monde, vous comprenez les sentiments qu'il génère. Et puis, petit à petit, il y a une forme d'excitation à être le seul à ses côtés. La foule veut le lyncher et vous êtes là, face à eux, et vous leur expliquez que ce qui leur fait horreur c'est la partie la plus sombre de l'être humain et qu'ils l'ont probablement en eux. Ça les rend encore plus agressifs mais vous, vous savez que c'est vrai parce que cette part d'ombre vous l'avez aussi en vous.

Elle prit un air amusé.

— Bien plaidé. Vous m'avez presque convaincue. Et puis on doit vite se prendre au jeu, non ?

— Évidemment. Face à la meute de ceux qui ont décidé de sa perte, vous êtes très vite choqué par le déséquilibre des forces en présence et vous n'avez plus qu'une idée : faire triompher votre position. « Votre », parce que inévitablement vous vous impliquez dans ce combat et que vous voulez le gagner. Pour celui que vous défendez et pour vous-même.

— Oh le vilain joueur ! Et vous êtes mauvais joueur ?

J'ai haussé les épaules.

— C'est vrai que je n'aime pas perdre, mais je respecte toujours les règles.

Cette fois, elle prit un air moqueur.

— Touchant. Je ne mettrais pas ma tête à couper là-dessus.

— J'ai été élevé comme ça : on ne triche pas.

J'ai pris quelques secondes de réflexion, avant d'ajouter.

— Ceci étant, j'ai une règle à laquelle je n'ai jamais dérogé : je traite les autres, y compris professionnellement, comme ils me traitent. Je m'adapte à leurs méthodes…

J'ai senti Svetlana confortée dans le choix qu'elle avait fait de me prendre comme conseil. On a embrayé sur l'audition du lendemain.

N'ayant aucune visibilité sur les éléments que les enquêteurs avaient pu réunir, nous tombâmes d'accord pour qu'elle en dise le moins possible. Si personne, et aucun n'avait intérêt à le dire, ne faisait allusion à ses interventions dans les heures précédant la soirée auprès des uns et des autres, elle se bornerait à expliquer, comme elle l'avait fait lors de sa première audition, qu'elle avait appris l'existence et le but de l'émission qui devait être enregistrée et qu'elle était venue pour convaincre son père de ne pas y participer mais qu'elle n'avait pas pu le joindre au cours de la soirée. La jeune femme me demanda si je pouvais la déposer à l'Hôtel-Intercontinental à l'Hôtel-Dieu si c'était sur ma route pour rentrer. Je l'ai fait volontiers en lui donnant rendez-vous le lendemain à 11 heures rue Marius-Berliet pour son audition à la PJ.

# 51

À peine avais-je déposé la fille d'Ivanovitch que j'ai appelé Julien Couderc. Il était tard, aux environs de 23 heures, mais il a décroché tout de suite. Le ton de sa voix a aussitôt ranimé mon mauvais pressentiment. Il paraissait angoissé.

– David ? J'attendais votre appel. J'ai peur qu'il ne soit arrivé quelque chose de grave à Claire.

Mon rythme cardiaque s'était accéléré.

– Vous êtes passé à son appartement ?

– Oui, justement.

– Et alors ?

– J'ai sonné plusieurs fois sans obtenir de réponse. Et je me suis aperçu que la porte d'entrée n'était pas fermée correctement. Je l'ai poussée pour entrer et l'appeler. Personne n'a répondu.

Il y eut un blanc. Julien semblait hésiter.

– Je suis entré et j'ai tout de suite eu l'impression qu'on avait fouillé les lieux.

– Comment ça « fouillé » ?

– Les coussins du canapé étaient déplacés, les tiroirs d'un petit secrétaire étaient entrouverts, des bouquins de la bibliothèque mal réinstallés. Je suis allé dans sa chambre et les tiroirs de sa table de nuit étaient aussi tirés.

– Vous n'avez rien touché ?

– Non, j'ai fait gaffe. Mais il y a encore plus inquiétant.

– C'est-à-dire ?

– Après son audition d'hier qui l'avait pas mal secouée, elle m'avait dit qu'elle irait peut-être se reposer quelques jours chez ses parents qui habitent Chambéry. J'ai trouvé leur numéro de téléphone sur Internet et je les ai appelés. Ils m'ont confirmé qu'ils l'attendaient ce soir, mais apparemment, elle n'est pas arrivée.

– Il n'est que 23 h 15, peut-être s'est-elle arrêtée en route.

Je ne croyais pas vraiment à ce que je disais. Je réfléchissais vite. On avait fouillé son appartement. Son téléphone ne répondait plus et elle n'était pas arrivée où on l'attendait. Je n'arrivais pas à décider de la conduite à tenir. Peut-être étions-nous en train de paniquer pour rien et puis nous n'avions aucun moyen d'action, sauf à prévenir la police. Et pour lui dire quoi ?

– Julien ? Attendons demain matin. De toute façon, nous ne pouvons pas faire grand-chose cette nuit.

## 52

La nuit avait été courte. J'avais mal dormi et fais des cauchemars, me tournant et me retournant dans mon lit en imaginant toutes les hypothèses. Mais au tréfonds de moi-même, j'envisageais le pire. Debout très tôt, j'ai filé au cabinet où Julien Couderc m'a rejoint vers 7 h 30. Il n'avait pas dû dormir beaucoup plus que moi car il avait une mine de déterré et ne s'était pas rasé. Il avait parlé une demi-heure plus tôt avec les parents de Claire qui l'avaient appelé et étaient toujours sans nouvelles de leur fille. Ils allaient prendre contact avec la police pour signaler sa disparition. J'entendais déjà la première réaction des fonctionnaires : « Elle a quel âge votre fille ? Elle est majeure… elle a dû se trouver un mec et se casser quelques jours au soleil… » J'en ai profité pour lui demander ce qu'elle lui avait dit exactement lors de leur dernière conversation, si elle lui avait paru inquiète et on a réécouté ensemble son dernier message. C'était difficile à dire. Elle semblait plutôt excitée. Dolorès est arrivée à son tour vers 8 heures mais nous étions convenus de ne rien lui dire pour ne pas l'affoler elle aussi. Elle avait eu assez d'émotions au cours des dernières quarante-huit heures. J'ai renvoyé Julien à ses dossiers après que nous nous sommes mis d'accord pour nous tenir au courant de toute information nouvelle. Puis, avec une assistante de retour mais qui n'était pas dans une forme olympique, nous avons repris l'agenda pour les jours à venir. Je lui ai conseillé de ne pas en faire trop et de s'appuyer au maximum sur le stagiaire, qui s'était rodé pendant ses deux jours d'absence, et de demander le maximum de renvois pour que nous puissions refaire surface tranquillement.

Et puis j'ai filé quai Marius-Berliet, où j'ai retrouvé Svetlana qui avait opté pour une tenue plus neutre : baskets, jean, pull à col roulé et cheveux sagement attachés. On nous a fait attendre un très long moment jusqu'à ce qu'un policier vienne vers nous, s'assure de nos identités et nous demande de le suivre. Après avoir parcouru le dédale des couloirs, nous nous sommes retrouvés dans un petit bureau au second. Il s'est présenté et j'ai vaguement compris qu'il était le directeur d'enquête. Mais très vite, il nous a prévenus que l'audition allait être reportée car un élément nouveau venait d'intervenir qui ne rendait plus nécessaire que Svetlana soit entendue pour le moment. Comme je l'interrogeai sur l'événement qui était survenu, il a d'abord joué les mystérieux avant de nous annoncer sur le ton de la confidence qu'une information était ouverte et qu'au vu d'un certain nombre d'éléments matériels qui avaient été recueillis dans les heures précédentes, la juge d'instruction désignée allait pouvoir procéder à une mise en examen. Du coup, les auditions prévues seraient différées. Svetlana n'a pas bronché, s'est levée et a demandé si on pouvait partir.

C'est à ce moment-là qu'on a frappé à la porte. J'ai reconnu l'homme qui entrait comme étant l'un des policiers qui avaient participé à la perquisition du bureau de Claire Dalbret à mon cabinet quarante-huit heures plus tôt. Il a parlé à mi-voix à son collègue avant de se retourner vers moi.

– Vous êtes maître David Lucas ?

Je n'ai pas eu le temps de répondre.

– Je peux vous voir dans le bureau à côté ?

Il n'a pas davantage attendu ma réponse, me montrant le chemin. J'allais dire à Svetlana qu'elle pouvait disposer et qu'on se retrouverait plus tard, mais il a anticipé.

– Je n'en ai pas pour très longtemps.

Et s'adressant à elle, qu'il regarda longuement, d'un œil pas très professionnel.

– Vous pouvez attendre votre avocat, nous n'en avons que pour quelques minutes.

Une fois dans le bureau, il a sorti de sa poche un smartphone sur lequel il a fait défiler visiblement une série de photos. Puis se redressant.

– J'ai peur d'avoir une mauvaise nouvelle à vous annoncer.

Il m'a tendu l'appareil sur lequel apparaissait la photo qu'il avait sélectionnée. On y voyait un corps, probablement celui d'une femme, recroquevillé, sur le bas-côté d'une route, contre des rochers. Au moment où j'agrandissais l'image pour essayer de voir plus distinctement le visage ensanglanté, je l'ai entendu me dire ce que je craignais confusément depuis des heures.

– Est-ce que vous reconnaissez Mme Dalbret ?

J'avais du mal à réagir. Il a ajouté d'un ton indifférent.

– On a retrouvé son corps ce matin, au pied d'une falaise tout près du lac du Bourget. Elle aurait fait une chute de plusieurs dizaines de mètres.

J'allais demander bêtement si c'était un accident. Il avait lu ma question dans mes yeux.

– Elle est tombée.

Et, après un silence, haussant les épaules.

– Ou on l'a poussée.

## 53

Dès qu'elle m'a vu sortir du bureau, Svetlana a compris qu'il s'était passé quelque chose de grave. Elle ne
m'a pas posé de question. Tandis que nous marchions
vers ma voiture, Julien Couderc a appelé. Sa voix était
angoissée.

— Vous avez entendu les infos ? On a retrouvé tout
près du lac du Bourget, près de Chambéry, le corps
d'une jeune femme au pied d'une falaise. J'ai peur que…

Je lui ai répondu d'une voix blanche :

— C'est Claire, Julien. Rejoignez-moi au bureau,
j'arrive.

Sans dire un mot, Svetlana m'a pris des mains la
clé de ma voiture et s'est installée au volant. Elle m'a
déposé au cabinet, puis s'est éclipsée. J'étais complètement bouleversé par la nouvelle de la mort de Claire
et, dans le même temps, mon angoisse n'avait fait que
croître durant le trajet. Si elle avait été victime d'un
meurtre, ce ne pouvait être qu'en relation avec ce qu'elle
m'avait confessé. Si on l'avait tuée, c'était pour éliminer un témoin avant qu'il ne parle. Et si c'était le cas,
Dolorès était aussi en danger. J'ai escaladé les escaliers
quatre à quatre et suis tombé dans l'entrée sur Yann. Il
a paru surpris de me voir.

— Où est Dolorès ?

Il s'est mis à bafouiller.

— Mais je ne comprends pas. Je croyais qu'elle était partie pour vous rejoindre.

— Me rejoindre où, bordel ?

Le malheureux se triturait les mains.

— Mais, c'est bien vous qui m'avez appelé il y a quelques minutes pour que je lui dise de vous rejoindre au canal de Jonage ?

— C'est quoi cette connerie ? Enfin, expliquez-vous !

Il avait du mal à déglutir. Il s'est effondré sur un des sièges du hall d'entrée. Il rassemblait ses idées.

— Vous m'avez appelé... ou du moins, j'ai cru que c'était vous. La communication était très mauvaise, mais vous avez dit que c'était parce que ça passait très mal. Vous m'avez demandé de dire à votre assistante de vous rejoindre d'urgence sur le chemin de halage du canal de Jonage. Qu'elle ne cherche pas à comprendre, mais que c'était pour un rendez-vous vital pour son affaire. Et puis, ça a coupé.

— Qu'est-ce que vous avez fait ?

— Je lui ai dit. Elle a essayé de vous joindre mais elle est tombée sur votre messagerie. Elle est allée chercher ses affaires et elle est partie.

— Il y a combien de temps ?

— Je sais plus. Une dizaine de minutes.

Il fallait à tout prix l'empêcher d'aller dans ce qui était d'évidence un guet-apens. J'ai extrait fébrilement mon téléphone de ma poche, constaté qu'elle avait effectivement essayé de me contacter et composé son numéro. Au moment où résonnait la sonnerie à mon oreille, j'ai entendu, provenant de son bureau, celle de son portable. Elle avait dû l'oublier en partant. Mon esprit travaillait à toute allure pour essayer de trouver une solution pour tenter de la prévenir ou d'arriver avant elle à Jonage, quand Julien Couderc a fait son entrée. Je ne lui pas laissé dire un mot.

— Vous êtes venu en voiture ?

Il a fait oui de la tête.

— Elle est où ?

— Sur un trottoir, mal garée, juste en dessous.

— Vous savez aller à Jonage ?

— Euh, oui. C'est là où j'emmenais mes copines quand je n'avais pas les moyens d'aller à l'hôtel.

— Julien, c'est une question de vie ou de mort, il faut y aller le plus vite possible. Je vous expliquerai en route.

## 54

Il n'a pas cherché à comprendre, s'est installé au volant de sa Golf et est parti à toute allure dans les rues de Lyon. Il a zigzagué entre les voitures, brûlé allègrement les feux rouges. Une fois sur la rocade, il n'a pas hésité à emprunter la bande d'arrêt d'urgence, provoquant des bordées de klaxons de la part d'automobilistes sidérés par la folie de ce chauffard. J'avais calculé que Dolorès ne devait avoir qu'une dizaine de minutes d'avance sur nous. Soit elle était venue ce matin au bureau avec sa voiture, ce qui n'était pas très fréquent, soit plus vraisemblablement elle avait pris un taxi. Dans tous les cas, les chances de la rattraper étaient minces. J'avais succinctement expliqué à Julien qu'elle avait probablement été attirée dans un piège et que si nous n'arrivions pas à temps, je craignais pour sa vie. Quand nous sommes entrés dans Meyzieu mon cœur s'est mis à battre la chamade : était-il trop tard ? Sur quoi ou qui allions-nous tomber ? Qu'allions-nous pouvoir faire ? Je n'ai pas eu le temps de me poser d'autres questions. Nous venions de débouler sur la rue Victor-Hugo, d'éviter plus ou moins bien plusieurs ralentisseurs, quand j'ai aperçu simultanément un taxi qui nous précédait de quelques dizaines de mètres et, au bout de la rue, le canal. J'ai hurlé à mon chauffeur de le dépasser et de lui faire une queue de poisson. Il n'a pas hésité une seconde, déboîté, touché un trottoir et s'est rabattu devant le taxi qui a freiné à mort mais est venu nous heurter sur le côté, sans trop de violence. Je suis sorti et me suis précipité sur la portière arrière pour vérifier si Dolorès était à l'intérieur. Elle était visiblement secouée par le choc et incrédule de me voir là. Devant, le chauffeur de taxi hurlait comme un fou, nous invectivant et criant qu'il allait appeler la police. Instinctivement, j'ai regardé de l'autre côté du canal vers le chemin de halage et j'ai aperçu un gros 4 × 4 Mercedes de couleur sombre. Il n'était pas possible que son ou ses occupants ne se soient pas rendu compte de notre manège. Tout en m'efforçant de calmer et de réconforter chacun, je gardais un œil sur la voiture qui s'était mise à bouger. Je me suis souvenu que ce chemin était un cul-de-sac et j'ai réalisé que pour quitter les lieux elle allait forcément emprunter la rue où nous étions stationnés. Je n'entendais plus rien et étais littéralement hypnotisé par la grosse berline qui, après avoir démarré doucement, accélérait dans notre direction. J'ai eu le temps de crier pour que tout le monde s'écarte et de la voir nous frôler avant de filer à tombeau ouvert vers Meyzieu. Je n'ai pas pu distinguer le conducteur. Les vitres étaient teintées et je n'ai deviné qu'une silhouette sans même pouvoir dire s'il s'agissait d'un homme ou d'une femme. Le chauffeur de taxi était totalement hystérique, il secouait un Julien Couderc hébété en lui répétant que ce fou avait voulu nous tuer. Pendant qu'il appelait sa centrale pour qu'elle alerte la police nous avons eu le temps de nous concerter pour mettre au point une histoire crédible qui puisse satisfaire, au moins dans un premier temps, les fonctionnaires de la Sûreté urbaine qui seraient chargés de prendre nos dépositions. Il était hors de question de leur dire la vérité car cela obligerait Dolorès à en dire plus sur ses relations avec ceux ou celui qui étaient impliqués dans la mort de son mari et de Sabrina. Car, à cet instant, je n'avais plus guère de doute. Le seul qui avait intérêt à ne pas être reconnu et mis en cause par les deux femmes, le seul sur qui les policiers n'avaient pas mis la main, c'était Frédéric Lambert. Ancien gendarme et donc parfait connaisseur de toutes les techniques permettant d'échapper aux recherches, déterminé, il allait être un danger permanent, en particulier pour celle qu'il allait vouloir à tout prix éliminer. La mettre en sécurité sans se placer sous la protection de la police, en espérant une hypothétique interpellation, allait être un vrai casse-tête.

Il allait donc falloir fournir quelques explications plausibles aux policiers venus sur les lieux. Nous avons inventé une histoire de dealers qui menaçaient les membres du cabinet parce que nous n'avions pas voulu leur donner des détails sur les déclarations de leurs potes en détention. Et nous avons enfin pu quitter les lieux avec la promesse de venir confirmer nos déclarations dans leurs locaux. Il était clair qu'ils étaient sceptiques et que deux avocats étant en cause, le parquet serait sûrement prévenu. Il faudrait trouver une version plus convaincante dans les jours à venir. Le retour au cabinet a été difficile. Les émotions vécues avaient été violentes et il fallait gérer, lancinante, la douleur de la mort de Claire. Nous étions par ailleurs confrontés à une situation inextricable. Comment mettre en sûreté dans un premier temps mon assistante qui ne pouvait, sans risque, ni retourner chez elle, ni venir au cabinet où elle serait facilement repérable. J'ai sondé Julien pour savoir s'il ne pourrait pas l'héberger quelques jours, le temps qu'on y voit plus clair. Il a fait la moue, prétexté qu'il logeait dans un petit appartement et, en plus, qu'il avait une copine. Il n'était pas sûr qu'elle voie d'un très bon œil la venue d'une si jolie femme chez lui. Et puis, comment lui expliquer… « Et vous ? » J'avais mon appartement montée du Gourguillon, avec une chambre d'ami. C'était sans doute la meilleure solution, provisoire. Nous avons facilement convaincu Dolorès, qui était encore bouleversée par tous ces événements. Y compris d'y rester à l'abri, sans bouger pendant quelques jours. Restait le problème du cabinet : mon planning était comme d'habitude surchargé et je n'allais pas pouvoir faire face à la perte simultanée de ma collaboratrice, avocate, et de mon assistante. Les heures passées ensemble avec Julien Couderc dans ces circonstances dramatiques n'avaient fait que conforter la bonne impression que j'avais de ce garçon. Je retrouvais décidément en lui tout ce que j'étais quelques années plus tôt.

– Et si vous veniez bosser avec moi, Julien ?

Il me regarda comme un enfant à qui on vient de confirmer l'existence du Père Noël.

– Ici ? Avec vous ?

– Oui, une vraie collaboration.

Il prit un air sombre.

– C'est que… remplacer Claire…

– Julien, j'ai besoin de vous. Je sais ce que vous valez et je crois qu'on fait une bonne équipe, non ? On l'a déjà prouvé dans le passé, et là, j'ai besoin d'être épaulé par quelqu'un comme vous.

Il s'est redressé, m'a tapé dans la main.

– Vous savez, je crois que j'en ai toujours rêvé.

– Eh bien, c'est fait. On attaque ! Tout de suite ?

– Tout de suite.

Nous avons passé la suite de la journée à organiser les audiences et il m'a proposé de faire venir dès le lendemain l'intérimaire qui faisait office de secrétaire à son bureau. Elle avait un peu d'expérience des cabinets d'avocats et pourrait faire face pendant l'absence de Dolorès.

## 56

Dolorès avait passé l'après-midi prostrée dans la salle de repos du cabinet. Elle acquiesça à toutes mes suggestions. La nuit était tombée et, après m'être assuré d'aucune présence suspecte aux abords du cabinet, je l'ai conduite jusqu'à ma voiture. Je lui ai proposé de passer d'abord chez elle pour qu'elle puisse emporter quelques effets personnels. Par précaution, j'ai effectué tous feux éteints, deux ou trois tours du quartier. Bien m'en a pris, car élargissant mon parcours, j'ai vu garé, rue Sully, un SUV Mercedes sombre ressemblant en tous points à celui du canal de Jonage. Quand je l'ai fait remarquer à ma passagère, elle s'est mise à trembler. Je l'ai rassurée et on a renoncé par sécurité à passer par son appartement. Je l'ai emmenée directement au mien après avoir vérifié, cette fois, que je n'étais pas suivi.

Je lui ai montré sa chambre, la salle de bains attenante et lui ai fourni serviettes et peignoir pour qu'elle puisse prendre une douche avant de se coucher. Je lui ai proposé de manger un peu mais elle a refusé prétextant qu'elle n'avait pas faim et qu'elle se contenterait de boire un Coca si j'en avais dans mon frigo. Et, tandis qu'elle regagnait sa chambre je me suis allongé sur mon canapé pour me détendre et réfléchir un peu. Pour m'y aider, je me suis servi une grande rasade de whisky en faisant défiler mes messages. J'ai attaqué un deuxième verre en regardant d'un œil amusé mon chat qui passait et repassait près de la porte de la chambre de mon invitée. Il était visiblement contrarié de cette présence étrangère sur son territoire. Mon téléphone a bipé à ce moment-là. C'était Svetlana, j'ai décroché.

– Vous allez bien ? Vous m'avez fait peur ce matin, j'ai cru qu'on vous avait annoncé la fin du monde.

– Non, mais ça y ressemblait.

– Je ne veux pas vous embêter avec mes questions mais, vous savez, je suis quelqu'un à qui on peut parler.

– Je n'en doute pas.

– Je voulais vous dire que j'aime bien comme vous êtes et que si je peux vous aider, disons, moralement, ce serait volontiers. Parce que votre job, ça ne doit pas être simple tous les jours.

– C'est gentil.

– Bon, je vous appelais aussi pour vous dire que puisque je ne dois pas être réentendue avant la semaine prochaine, je vais rentrer chez moi, à Paris, en attendant. Vous me tiendrez au courant de ce qui se passe ?

– Bien sûr.

– Au fait, vous savez pourquoi mon audition a été reportée ?

– Non, pas encore.

– Ce n'est pas possible de savoir ce qu'il y a dans le dossier ?

– Pas pour le moment, la procédure ne le permet pas.

Il y eut un silence avant qu'elle ne poursuive, presque gênée.

– J'ai pourtant vu dans le code de procédure pénale que la victime peut avoir accès à tout moment à la procédure. Comme c'est mon père la victime, je peux bien me constituer partie civile pour avoir accès au dossier, non ? Ce serait mieux qu'on connaisse tous les éléments en leur possession.

— Ce n'est pas aussi simple, même partie civile, nous ne pourrons en avoir connaissance qu'après que vous avez été entendue.

— Moi qui croyais que les victimes avaient tous les droits, je suis déçue. Ce n'est pas normal qu'on m'empêche de savoir.

J'ai failli lui dire que c'était pour éviter que certaines « victimes » susceptibles de changer de statut et de devenir des accusées n'en profitent pour s'organiser, mais je n'ai pas eu le courage d'argumenter.

— Ne vous inquiétez pas, je vais me constituer partie civile pour vous et j'irai aux nouvelles. De toute façon, on se revoit avant votre interrogatoire pour le préparer.

— Merci. À plus.

Et elle a raccroché.

## 57

J'ai dû me réveiller aux alentours de 6 heures. Encore engourdi par le sommeil et sans doute l'alcool que j'avais ingurgité (la bouteille aux trois quarts vide qui reposait au pied du canapé en faisait foi), j'ai repoussé le plaid qui me recouvrait. Je n'avais pas le souvenir de l'avoir récupéré pour me réchauffer et j'en ai aussitôt déduit que ce devait être mon hôte qui était passée au cours de la nuit pour m'en couvrir. Je me suis dirigé d'un pas mal assuré jusqu'à la cuisine pour me faire un café. J'ai refermé la porte pour éviter que le bruit de la machine ne la réveille. Mais, à peine avais-je commencé à le boire que j'ai entendu toquer. Dolorès est entrée, vêtue d'un peignoir et de pantoufles que j'ai l'habitude de récupérer dans les grands hôtels où je séjourne pour mes futurs invités. Elle n'était pas maquillée, n'avait pas dû beaucoup dormir elle non plus, mais semblait avoir retrouvé un peu d'assurance. Elle s'est assise en face de moi.

– Quelle histoire de fous, non ?

Elle haussa les épaules.

– Je n'aurais jamais imaginé me retrouver dans un bourbier pareil. Je n'aurais surtout jamais voulu vous entraîner dans tout ça.

– Ne vous faites pas de souci pour moi, c'est vous qu'il faut sortir de ce guêpier et, à l'heure qu'il est, je ne sais pas encore très bien comment on va faire.

J'ai réalisé que je n'avais toujours pas réussi à lui parler de la mort tragique de Claire. Ça a été un moment terrible pour elle comme pour moi. Elle a gardé longtemps la tête dans ses mains. Elle n'a pas posé de questions. Elle a mis quelques minutes à réaliser puis a esquissé un pâle sourire.

– En tout cas, merci pour tout ce que vous faites. Je ne sais pas comment je pourrai vous remercier.

– Dolorès, assez d'amabilités. Essayons de raisonner tranquillement. Nous avons plusieurs problèmes : quelqu'un de déterminé veut vous éliminer physiquement et si on ne peut pas assurer votre sécurité, il va falloir aller à la police. Mais à ce moment-là, il va falloir bien réfléchir à ce qu'on va leur raconter.

– Et si j'allais dire toute la vérité.

– Vous savez bien que si vous leur dites tout ce que vous m'avez expliqué, vous risquez de vous trouver vous aussi impliquée.

Elle réagit, prenant un air désespéré.

– Et pourtant je suis moi aussi leur victime.

– Je le sais et je vous crois, mais je connais bien la justice aussi. Vous risquez d'être emportée par la tempête.

– Alors, que faire ?

Nous sommes restés quelques minutes en silence. Mon esprit travaillait vite, comme chaque fois où il faut prendre une décision qui sera lourde de conséquences.

– Dans un premier temps, vous allez rester planquée ici. Je dois partir trois jours à Marseille pour plaider une histoire de stups.

– L'affaire Ben Salah ?

Ses réflexes professionnels revenaient.

– Oui, c'est ça. Vous n'allez pas bouger d'ici et ne sortir sous aucun prétexte. Je vais passer chez vous, vous récupérer quelques effets personnels. Je vous ramènerai de la nourriture et un téléphone avec une carte prépayée, comme ça, personne ne pourra vous géolocaliser et, en cas d'urgence absolue, on pourra se contacter. Personne ne sait que vous êtes là, à part Julien Couderc, et il n'y a aucun risque qu'il parle. Ça nous laissera un petit peu de temps pour réagir. Et puis, sait-on jamais, avec un peu de chance ils choperont Lambert dans l'intervalle.

Elle approuva et se leva. Mais alors qu'elle s'éloignait, elle se retourna vers moi, avec un air gêné.

– Ça m'ennuie un peu de vous demander ça, mais vous pouvez aussi aller dans la commode qui est dans ma chambre pour me rapporter ma lingerie ?

La demande ne m'a pas paru incongrue.

– Pas de problème. Vous ne voyez rien d'autre ?

Elle secoua la tête. Et, en souriant :

– Si, un peu de lecture si c'est possible. J'ai peur que regarder la télé en boucle me rende dingue.

## 58

En quittant mon immeuble, j'ai à nouveau examiné très attentivement les abords pour m'assurer qu'il n'y avait rien de suspect. Puis j'ai filé directement à l'appartement de mon assistante. Je suis repassé, avant, rue Sully, mais le véhicule Mercedes aperçu la veille n'était plus là. Je me suis garé à quelques dizaines de mètres de l'entrée et je suis monté à l'étage le plus discrètement possible. Au moment où je pénétrais à l'intérieur j'ai repéré, coincée dans l'embrasure de la fenêtre qui éclairait le palier, ce que j'ai tout de suite identifié comme une petite caméra-espion. Décidément, notre « chasseur » était déterminé. Il fallait faire vite avant qu'il ne rapplique, même si ce n'était pas moi qui devais l'intéresser. Je suis allé très vite dans la salle de bains et le dressing où j'ai pris quelques jeans, tee-shirts, pulls que j'ai enfournés dans une valise qui y traînait. Puis, j'ai filé dans la chambre à coucher, avisé la commode et trouvé deux tiroirs remplis de sous-vêtements. J'en ai pris un maximum que j'ai glissé dans un sac rose qu'elle devait utiliser pour les ranger dans sa valise quand elle voyageait. Au moment où je saisissais une dernière petite culotte coincée au fond du tiroir, j'ai senti quelque chose de dur qui devait y être caché. Instinctivement je me suis assuré de quoi il s'agissait.

C'était une carte SD sur laquelle sont habituellement enregistrés des photos et des vidéos. Sans réfléchir, je l'ai glissée dans ma poche. Puis, je suis reparti très vite sans regarder en direction de la caméra pour que celui qui l'avait placé là ne se rende pas compte qu'elle était repérée.

J'ai couru à ma voiture et ai entrepris de filer vers le parc de la Tête-d'Or avant de retourner en direction de la presqu'île en changeant brusquement de file et en franchissant des feux à l'orange, toujours pour vérifier que je n'avais pas été suivi. Le temps de m'arrêter à une boutique de téléphonie, un passage à la FNAC Bellecour pour acheter un paquet de bouquins et, après avoir dévalisé un traiteur, je suis retourné montée du Gourguillon. Avec une interrogation, de plus en plus lancinante, plus je m'en rapprochais : est-ce que j'allais remettre à Dolorès ce que j'avais trouvé et qu'elle m'avait probablement envoyé chercher à mon insu, ou est-ce que je regardais d'abord ce qu'il y avait dessus ? Je n'avais jamais vérifié ce qu'il y avait dans la fameuse petite boîte en nacre que j'avais retirée de son bureau avant la perquisition, mais là, j'avais envie d'en avoir le cœur net. J'ai eu l'idée de la faire copier. Julien Couderc était de cette génération pour qui ces manipulations n'ont pas de secret. Je l'ai appelé à tout hasard pour l'interroger et par chance il était au cabinet. Il pouvait sans problème me la copier sur mon ordinateur portable que je n'utilisais que pour y télécharger les CD des dossiers d'instruction quand ils étaient trop volumineux. Ça tombait bien puisqu'il venait justement de m'y transférer toutes les pièces de l'affaire Ben Salah pour l'audience de Marseille du lendemain. Il ne m'a pas posé de question sur l'origine de la carte et, l'opération rapidement réalisée, m'a remis l'original, mon ordinateur et le dossier papier du client. Ben Salah devait comparaître pour trafic de stupéfiants, association de malfaiteurs, blanchiment et menaces de mort. Le dossier matériel ne comportait que les synthèses des enquêteurs et ses auditions. « Vous pourrez lire les écoutes sur l'ordi. J'en ai parcouru quelques-unes, vous verrez, c'est édifiant et catastrophique pour le mec que vous défendez. » Puis, en quelques minutes, il m'a fait un état des affaires à venir pendant mon absence et de la façon dont il avait géré. Tout était parfait. Je lui ai expliqué en deux mots la situation pour Dolorès, qui pourrait être en contact avec moi en cas de problème. Compte tenu de la distance, si nécessaire, je lui demanderai d'intervenir à ma place. Il m'a rassuré en me disant que je pouvais partir tranquille, en début d'après-midi pour les Bouches-du-Rhône. Je pourrais dormir sur place et être d'attaque le lendemain matin plutôt que de partir aux aurores avec le risque d'être retardé par les bouchons habituels, à l'entrée de Marseille. Je l'ai remercié, ai profité de mon retour dans ma voiture pour écouter mes messages, rappelé deux ou trois clients qui râlaient trop fort et, toujours attentif à la possibilité d'être filé, je suis repassé chez moi.

En glissant la clé dans la serrure, j'ai prévenu que c'était moi. J'ai trouvé Dolorès installée dans le canapé qui zappait d'une chaîne de télé d'informations continues à l'autre. Elle m'a expliqué qu'il y avait eu une nouvelle attaque au couteau dans un centre commercial de la Défense.

— On a chopé le type ?

— Ils l'ont abattu quand il s'est précipité sur les militaires de l'opération Sentinelle.

— Quel genre ?

– Devinez ! Il hurlait « Allah Akbar » ! Mais on a déjà interviewé ses voisins : ils disent tous que c'était un type très bien, sans histoire.

– On va nous ressortir la crise de folie…

– C'est fait ! Je viens d'entendre le ministre de l'Intérieur. « Rien à la seconde où je vous parle ne permet de dire qu'il s'agit d'un acte terroriste. Il semblerait qu'il s'agisse plutôt de l'acte d'un désespéré. Nous avons en effet de bonnes raisons de croire qu'il a agi dans un moment de dépression après que sa femme l'a quitté. »

J'ai soufflé tandis qu'elle coupait la télé et faisait un rapide inventaire de ce que je lui avais rapporté. J'ai fait mine de ne pas m'y intéresser, suis reparti vers ma chambre pour préparer un sac de voyage mais tout en la surveillant du coin de l'œil. Elle avait plongé rapidement la main dans le sac contenant ses petites culottes et de toute évidence elle s'assurait qu'y figurait bien celle à l'intérieur de laquelle était cachée la carte SD.

## 59

Je venais de franchir le péage de Vienne quand j'ai vu apparaître sur l'écran de mon téléphone un appel d'un portable que je n'ai pu identifier. J'ai hésité à y répondre de suite et finalement attendu que son auteur laisse un message. Il était laconique : « Commandant Éric Rivière, de la PJ de Lyon. Pourriez-vous me rappeler d'urgence sur ce numéro pour affaire vous concernant. Merci. » J'ai hésité une seconde avant de le faire. Il a décroché à la première sonnerie.

– J'espérais que vous me contacteriez rapidement. Je viens d'être informé de ce qui s'est passé hier à Jonage et il faut qu'on se rencontre très vite pour en parler.

J'évaluais la situation mais ne voyais pas comment cela allait être possible et même si c'était souhaitable. À l'autre bout du fil, le policier s'impatientait.

– Vous m'avez entendu ? Il faut qu'on puisse se voir d'urgence.

– C'est compliqué car je suis en route pour Marseille pour plaider une affaire de stups qui devrait durer trois jours.

– Vous êtes loin ?

Je lui ai livré un pieux mensonge pour gagner un peu de temps.

– Hélas oui, je suis à la hauteur d'Avignon.

J'ai senti que ma réponse le contrariait.

– Vous ne pouvez pas revenir ?

– Impossible. J'ai rendez-vous avec un client dans deux heures à l'hôtel.

Il y eut un long silence. Mon interlocuteur hésitait sur la conduite à tenir.

– Vous êtes avec votre assistante ?

– Mon assistante ? Quelle assistante ?

– Mme Grangeon.

– Non. Pourquoi voulez-vous qu'elle soit avec moi ?

L'autre ricana.

– Parce que ce serait peut-être mieux pour elle.

– Pourquoi ?

– Ne faites pas l'idiot, mon cher maître. D'après nos informations elle pourrait être en danger. Et ne me dites pas que vous ne voyez pas de quoi il s'agit puisque hier vous avez dû voler à son secours.

Cette fois, c'est moi qui suis resté silencieux, ne sachant pas vraiment que lui répondre. Il renchérit.

– Il faut vraiment qu'on en parle. Vite. Et puis aussi des circonstances de la mort de votre collaboratrice Claire Dalbret. C'est nous qui sommes saisis du dossier et il n'est pas exclu que ces deux affaires aient un lien.

– Ça peut attendre mon retour ?

Le policier réfléchissait.

– Si Mme Grangeon est en lieu sûr, oui. Et nous avons des raisons de le penser puisque son portable ne répond plus et qu'elle n'est pas à votre cabinet. Vous comprenez ce que je vous dis ?

– Je crois, oui. Dès que j'en ai terminé ici, je vous rappelle et vous vois à mon retour.

Il y eut à nouveau un blanc.

– Vous descendez pour défendre cette raclure de Ben Salah ?

Il était décidément bien informé.

– Alors, comme disent vos « chers » clients : « Inch Allah » !

## 60

Dès l'ouverture de l'audience, le procès a tourné en véritable corrida, ce qui tend à devenir la règle dans ce genre d'affaire. On a d'abord pris une demi-heure de retard à cause des escortes qui n'arrivaient pas. Un mouvement de grève des gardiens de la maison d'arrêt de Luynes avait rendu laborieuse l'extraction de deux détenus, tandis que le convoi en provenance des Baumettes était resté coincé dans les embouteillages. Dès que les prévenus se sont retrouvés dans le box, les insultes ont commencé à pleuvoir : entre eux, d'abord, car deux des dix mis en cause avaient partiellement reconnu les faits, tandis que les autres contestaient tout : les faits, les filatures, les écoutes, les vidéos. À l'encontre d'un de mes confrères ensuite. Un grand Black l'accusait d'être complice de cette « mascarade » pour ne pas avoir déposé une requête en nullité qui aurait dû faire sauter toute la procédure. À l'égard de la présidente, très vite débordée : « Oh, comment elle me parle, elle ? Elle est raciste ! »

Il a fallu suspendre l'audience, à peine avait-elle enfin commencé. La magistrate a réuni les avocats dans son bureau et nous a demandé de calmer nos clients, a averti qu'elle ne supporterait plus le moindre incident à la reprise et qu'elle expulserait les perturbateurs. Elle s'est lamentée sur l'évolution du fonctionnement de la justice et nous a confié que si cette dégradation se poursuivait, elle serait de plus en plus favorable à ce qu'on ait recours à la visio pour les audiences. Nous avons protesté pour le principe, promis d'intervenir et regagné la salle, chaque confrère reprochant à l'autre d'avoir un client « qui foutait le bordel et risquait de faire monter les peines pour tout le monde. » C'était de plus en plus souvent le même cirque et nous étions très fréquemment les mêmes à nous retrouver dans ce type de procès. Quelques Parisiens spécialisés dans les vices de procédure et puis des pénalistes pour qui, comme moi, les affaires de trafic de stupéfiants étaient devenues le lot quotidien. J'avais parfois l'impression que nous étions « en tournée », aux quatre coins de la France à défendre les mêmes dealers, à soulever les mêmes vices de forme, à invoquer les mêmes arguments. Il faut dire qu'il n'y a plus grand-chose à plaider. Le trafic de drogue est devenu une activité économique à grande échelle et ceux qui s'y livrent ne font plus ça pour se payer leur consommation mais sont devenus des « commerçants » qui en vivent et en vivent très bien.

L'audience a repris. Trois confrères ont soulevé des nullités que le tribunal a décidé immédiatement de joindre à l'examen du fond de la procédure et les débats ont démarré. L'ambiance ne s'était pas beaucoup améliorée et pendant des heures nous avons eu droit à un dialogue de sourds entre la présidente qui posait des questions auxquelles les prévenus apportaient des réponses totalement fantaisistes. Seul Ben Salah tenait la route. Il s'exprimait bien, sans agressivité et, pour le coup, ce qu'il disait était parfaitement plausible. Il n'apparaissait directement dans aucune des transactions visées par l'accusation mais était supposé être la tête du réseau si on se référait à certaines conversations téléphoniques. Il contestait, il n'y avait pas grand-chose contre lui et j'avais une petite chance de le faire relaxer. Chaque avocat se levait à tour de rôle et se rapprochait du box quand son client était interrogé, avant de se rasseoir et de se replonger soit dans son ordinateur pour lire et relire les procès-verbaux importants, soit dans son smartphone pour y consulter ses messages, ses mails ou *L'Équipe*. Ou discuter discrètement avec un confrère ou une consœur présent au banc de la défense. Justement, le mien a bipé et j'ai vu que j'avais un message d'Ambre. Elle faisait naturellement partie de notre joyeuse bande et on s'était salué rapidement le matin dans le bureau de la présidente. Elle était venue directement de Lyon le matin même et avait failli arriver en retard. Elle me demandait à quel hôtel j'étais descendu et si on pourrait « s'isoler » un peu du reste de la troupe à l'occasion du déjeuner ou du dîner. Il faut dire que les avocats ont l'instinct grégaire. Quand ils se retrouvent dans ce genre de procès, ils ont tendance à rester ensemble, se retrouver dans le même hôtel, boire dans le même bar et écouter chacun raconter les mêmes histoires. Dans ce métier de pénalistes où les ego sont parfois surdimensionnés c'est à qui relate ses exploits, ses triomphes en évitant de trop s'étendre sur les taules qu'il a pu prendre. Je lui ai répondu que j'étais à l'Intercontinental parce que le Sofitel était complet et que je dînerais volontiers avec elle si elle n'avait rien prévu d'autre.

## 61

Lors de la courte pause, à l'heure du déjeuner, nous nous sommes tous retrouvés dans un restaurant sur le Vieux-Port où les avocats marseillais avaient retenu une table. L'ambiance était électrique. Il y avait ceux qui ne parlaient que de l'affaire et s'envoyaient à la figure des reproches quant à la façon dont ils n'avaient pas su gérer leurs clients. Ceux qui ne voulaient pas déjeuner à la même table que des confères avec qui ils étaient fâchés depuis des années. Des Marseillais qui se moquaient des Lyonnais après la victoire de l'OM lors du dernier « Olympico ». Mais, après quelques verres et au moment du pousse-café, un large consensus a fini par se dessiner. Sur le fait que ce métier était de plus en plus compliqué, que les charges étaient de plus en plus lourdes et que les clients payaient de plus en plus difficilement. Que le monde tournait de plus en plus mal, que la délinquance était de plus en plus violente et qu'il valait mieux que l'opinion publique ne se rende pas compte de la réalité des choses sinon le Rassemblement national arriverait au pouvoir dans un fauteuil. Et enfin, et surtout, qu'il y en avait assez d'être traités comme on l'était par les magistrats : « Ils nous considèrent comme des voyous », « On ne peut plus rien dire sans être menacé d'avoir commis un outrage », « Tu as vu comme la proc m'a interrompu ? », « Et la présidente ? Elle fait semblant de nous écouter pour calmer le jeu mais elle va nous en mettre plein la tête ! » C'est finalement très remontée et solidaire que notre petite troupe est repartie guerroyer jusqu'aux alentours des 20 heures. Certains voulaient organiser un dîner commun, d'autres, les locaux, voulaient repasser à leur cabinet, d'autres encore, venus « accompagnés », préféraient passer leur soirée à part. Nous nous sommes finalement dispersés comme une volée de moineaux et je me suis retrouvé devant le palais avec Ambre toute heureuse que nous ayons échappé à un nouveau « repas de classe ». Nos voitures étant au parking, nous avons décidé de n'en prendre qu'une puisqu'elle avait profité de la pause de midi pour retenir une chambre, elle aussi, à l'Intercontinental. Le temps de faire les formalités d'enregistrement pour elle et de passer par nos chambres, nous nous sommes retrouvés au Capian Bar pour partager un verre. Nous avons commencé par un Americano, mais le besoin de décompression aidant, nous en avons rapidement commandé un second. Et quand nous avons rejoint notre table au restaurant, nous étions l'un et l'autre, déjà, délicieusement détendus.

Je me suis aperçu qu'elle avait profité de son passage dans sa chambre pour changer de tenue. Elle avait troqué son jean pour une jupe un peu courte, noire, et portait une tunique légèrement échancrée de couleur bronze. Elle que j'avais toujours vue avec des chaussures plates était montée sur des talons qui lui donnaient une démarche hésitante. Elle avait remarqué que je m'en étais rendu compte.

– Bon, je concède que je ne marche pas vraiment très droit mais les Americano plus les talons, j'avais hâte de m'asseoir !

Tandis qu'elle s'installait, je l'observais avec amusement et j'avais l'impression de ne l'avoir jamais vraiment regardée. Elle prit un air interrogateur.

– J'ai fait quelque chose de mal ? Tu me regardes avec un drôle d'air.

– Pas du tout, au contraire. Décidément, on ne se quitte plus.

– On dirait que tu le regrettes !

– Mais non ! Je m'aperçois surtout qu'on s'est côtoyé depuis des années, qu'on a plaidé ensemble, l'un contre l'autre, bu quelques verres mais qu'on se connait finalement très peu.

Elle sourit.

– Je me disais exactement la même chose. On se fréquente depuis combien de temps au barreau ?

– Depuis que tu as prêté serment. Ça fait un bail, non ?

– Disons, une quinzaine d'années. Mais je ne suis pas sûre que tu te sois rendu compte que j'existais depuis aussi longtemps.

J'ai réfléchi un peu.

– Ce n'est pas faux. La première fois où je t'ai remarquée c'était lors d'une audience de cour d'assises où tu plaidais, il y a sept, huit ans. Je ne peux pas m'empêcher d'entrer quand je passe à proximité d'une salle d'assises. Le spectacle de la tragédie humaine me fascine toujours. Et puis, j'aime beaucoup découvrir, écouter les confrères et les consœurs. Plus jeunes, plus âgés, on apprend toujours des autres et je crois que j'aime les avocats, les vrais. Ceux qui se dépouillent, se déchaînent, se rebellent, crient leur indignation, leur désespoir. Bref, celles et ceux qui ont cette passion qui font les grands dans notre métier.

Cette fois, c'est elle qui prit un air amusé.

– Quel bel éloge de la profession. Je te croyais plus en retrait, plus, disons, cynique.

J'ai secoué la tête.

– Heureusement qu'on prend et que je prends un peu de distance, sinon on deviendrait fou. Mais quel beau métier que le nôtre, non ?

Elle acquiesça avec enthousiasme.

– Le plus beau métier du monde, mais sûrement l'un des plus durs.

Elle prit un air sombre.

– Une passion dévorante mais qui a bousillé ma vie personnelle.

Je n'osais pas la questionner.

– J'étais mariée avec un type charmant mais qui, très vite, n'a pas compris que je rentre tous les soirs à des heures impossibles. Quand ça n'était pas à 2 heures du matin après un verdict d'assises. Il ne comprenait pas non plus qu'on puisse se passionner pour la défense d'un violeur ou de l'assassin d'une vieille dame.

Ses yeux s'embuèrent de larmes.

– Et puis j'avais un petit garçon. Je l'adorais bien sûr. Mais j'arrivais en retard pour le récupérer à la crèche, puis à la sortie de l'école. Un soir je suis rentrée tard, trop tard, comme d'habitude. Il y avait un mot sur la table de la cuisine. Comme dans les mauvais films. Mon mari était parti, avec Anthony. Il me reprochait d'avoir choisi ma vie professionnelle au détriment de ma vie de famille. Il a demandé la garde de notre enfant et il l'a obtenue.

J'avais l'impression d'avoir entendu cent fois cette histoire qui était aussi un peu la mienne. J'ai hoché la tête.

— Bienvenue au club.

## 62

Pour détendre l'atmosphère je lui ai dit combien j'appréciais ses qualités professionnelles et humaines telles que je les avais découvertes au cours de nos procès communs. Et puis le dîner, les vins que nous avons mélangés déraisonnablement nous ont redonné le moral, le goût de plaisanter, de vivre tout simplement. Le repas tirait à sa fin et nous avons commandé deux Chartreuse vertes, vingt ans d'âge quand elle a pointé un doigt dans ma direction.

— Tu ne vas pas t'en tirer comme ça ! Je t'ai raconté toute ma vie ou presque et toi, tu ne m'as rien dit de la tienne. Alors, maître, je vous écoute, vous avez la parole.

J'étais un peu décontenancé et puis je n'aime pas beaucoup parler de moi. Mais ça allait être difficile de m'esquiver.

— Qu'est-ce que tu veux savoir ?

— Tout évidemment ! Tout ce que je ne sais pas.

— Et si on commençait par ce que tu sais… ou crois savoir.

Elle éclata de rire.

— Ah ça, c'est bien. Je vais commencer par te dire tout ce qu'on raconte sur le grand maître Lucas et tu me diras ce qui est vrai.

Elle marqua un temps d'arrêt.

– Et puis des choses un peu inédites, j'espère.

C'est toujours angoissant de savoir comment on est perçu mais ce soir-là, franchement, je n'en avais rien à faire et l'idée m'excitait plutôt.

– Allons-y. Je t'écoute d'abord. Et puis je corrigerai et je complèterai. Ça te va ?

– Parfait. Je commence. David Lucas a une cinquantaine d'années, est une star du barreau mais est un type assez secret. Il a été marié et est le père d'une fille qui doit avoir aux alentours de trente ans. Il a plaidé dans de nombreuses affaires qui ont eu un retentissement national et passe régulièrement à la télé.

– C'est finalement bien banal.

– Attends ! Je vais aborder les côtés disons plus intimes voire sulfureux.

– C'est évidemment ce qui m'intéresse.

– Il gagne beaucoup de fric, roule dans de jolies voitures et, comme il est célibataire, c'est le corollaire, c'est un homme à femmes.

– Ah bon !

– Parfaitement. On lui prête de nombreuses aventures avec des avocates, c'est les plus simples à séduire, journalistes, ce sont les plus utiles, quelques jolies clientes et peut-être même des magistrates. Tout ça lui valant l'abominable réputation d'être un peu macho.

J'ai levé la main.

– Premières inexactitudes : je ne couche ni avec mes clientes, ni avec des juges, question de principe ! Et puis je ne suis pas macho, j'aime les femmes que je trouve bien meilleures que les hommes, dans presque tous les domaines.

– Ça ne veut rien dire ! Le seul fait que tu reconnaisses aimer les femmes est suspect. Que tu leur reconnaisses des qualités, un signe de condescendance.

Si, en plus, tu avoues en avoir envie, c'est que tu es un prédateur en puissance. Mais objection retenue. Je continue ?

– Évidemment.

– Très difficile à cerner idéologiquement. Il a défendu des terroristes d'extrême gauche, des militants d'extrême droite, des politiques de tous bords. Il est le conseil de grands chefs d'entreprise mais aussi de SDF. On dit qu'il prend des honoraires pharaoniques, qu'il refuse l'aide juridictionnelle mais défend des gens pour rien quand il en a envie.

– Ça, ce n'est pas trop mal vu.

– On dit qu'il est plutôt souple de caractère, certains le décrivant comme trop conciliant. Calme, difficile à déstabiliser mais capable de terribles colères. Sous ses dehors distants, voire cyniques, se cacherait un grand sentimental, hyperémotif. Je poursuis ?

J'ai soufflé.

– Stop ! En fait, on ne sait jamais qui on est vraiment et puis, Ambre, pour te parler franchement, je crois que je m'en fous un peu. La seule chose qui m'importe vraiment c'est l'opinion des gens que j'aime.

Elle a rebondi aussitôt et j'ai remarqué que, sans doute sous l'effet de l'alcool, ses yeux très verts brillaient.

– Ça m'amène aux deux questions que je voulais te poser.

– Allons-y, je verrai si je peux te répondre, et après, on va se coucher car il se fait tard.

– Qui sont les gens que tu aimes ?

– Quelle question ! Je te répondrais, comme ça, ma mère bien sûr. Ma fille évidemment. Et puis…

Elle me fixait intensément.

– Et puis qui ? Tu as bien dû aimer des femmes ? Tu en as peut-être une actuellement dans ta vie ?

– Non, il n'y a personne et pour le reste, je ne sais plus. Allez ! on va dormir.

On a fini nos verres de Chartreuse et pris la direction de l'ascenseur. Elle avançait devant moi et sa démarche ondulante commençait à me troubler sérieusement. Devant la porte de l'ascenseur, elle a fait un faux pas et s'est raccrochée à moi. Son regard avait changé.

– David, je crois qu'on a trop bu.

Quand la porte s'est ouverte, je l'ai entraînée à l'intérieur et avant même qu'elle ne se referme nous nous sommes étreints, échangeant un baiser violent, nos bouches se dévorant. C'est elle qui s'est détachée de moi quand nous sommes arrivés à l'étage. Son regard était trouble.

– Tu ne m'as pas laissé te poser tout à l'heure ma deuxième question.

– C'était quoi ?

– Je me demandais ce que David Lucas aimait au lit. Mais ce n'est pas grave que tu ne m'aies pas répondu, je vais connaître la réponse.

# 63

J'ai passé avec Ambre une des nuits les plus exci-
tantes de mon existence. Je ne me souviens plus dans
quelle chambre nous avons atterri, c'est seulement le
lendemain que j'ai réalisé qu'on était dans la sienne.
Ce dont je me souviens c'est que nous n'avons pas
beaucoup dormi et qu'elle était insatiable. Faire l'amour
transforme les êtres et les corps. La femme qui était
dans mes bras, contre moi, sous moi, qui exigeait mes
caresses, mes violences, qui gémissait de plaisir et me
murmurait des obscénités ne ressemblait en rien à celle
avec qui j'avais dîné, que je côtoyais au barreau ou dans
des salles d'audience. Son regard n'était plus le même
et la jeune femme policée avait laissé la place à un être
redevenu animal, seulement guidé par la recherche du
plaisir le plus extatique possible. Elle s'est endormie
la première, d'un coup, comme foudroyée. Tandis que
le jour se levait et que peu à peu la pénombre s'estom-
pait, je n'arrivais pas à détacher mon regard de son
corps nu allongé près du mien. Avec le jour, j'en étais
sûr, la magie de ces moments allait disparaître. Je l'ai
regardée s'étirer langoureusement, et filer à la salle de
bains. J'ai entendu le bruit de la douche qui coulait.
Elle est revenue toujours nue vers moi, seulement vêtue
d'une serviette enroulée autour de ses cheveux pour les

sécher. Comme si nous étions déjà un vieux couple, elle a posé un baiser sur mes lèvres, regardé sa montre et m'a conseillé de vite partir dans ma chambre pour me préparer sinon nous allions être en retard à l'audience.

Nous nous sommes retrouvés pour un café pris en catastrophe dans la salle du petit déjeuner avant de rejoindre le palais dans mon véhicule. Comme si rien ne s'était passé. Et pourtant je ne la voyais plus comme avant. J'allais le lui dire. Je voulais la remercier pour cette soirée, pour cette nuit mais j'avais peur d'être maladroit. C'est elle qui a touché ma main, qui était sur le volant et murmuré :

– Tu sais David, j'ai passé de merveilleux moments avec toi depuis hier. Je suis une fille un peu compliquée mais j'aimerais qu'on puisse en vivre d'autres.

Je voulais lui dire la même chose mais le téléphone a sonné. On attendait plus que nous pour la reprise de l'audience, il fallait faire vite. Nous avons couru jusqu'à la salle comme deux écoliers retardataires et repris nos places. La réalité de nos vies venait de nous rattraper.

## 64

J'avais eu du mal à me concentrer pendant l'audience du matin. Je pensais et repensais à notre soirée et notre nuit, et tentais parfois d'accrocher le regard d'Ambre assise à quelques mètres de moi sur le banc de la défense. Je n'y arrivais pas tant elle paraissait, elle, attentive aux débats, prenant studieusement des notes ou consultant son ordinateur. La présidente nous avait accordé une pause très courte qui ne nous laissait pas le temps d'aller déjeuner. Nous étions donc restés au palais en mangeant distraitement des sandwiches et je n'arrivais pas à me retrouver seul avec Ambre. Un confrère du cru, de sa génération, l'avait visiblement entreprise et leurs rires partagés me contrariaient. Surtout la façon dont il la regardait. Alors que l'audience allait reprendre, nous avons entendu les sirènes de plusieurs véhicules de police arrivant au palais. Puis celle reconnaissable du SAMU. Visiblement, il se passait quelque chose de sérieux. Le temps s'écoulant et les débats ne reprenant pas, nous sommes allés aux nouvelles et avons appris qu'une bagarre avait éclaté dans les geôles entre plusieurs prévenus de notre affaire. L'un d'entre eux, muni d'une lame de rasoir qui avait échappé à toutes les fouilles, avait tenté d'égorger un codétenu. L'examen de notre dossier n'allait pas pouvoir se poursuivre. Et sans surprise, la présidente, à la réouverture de l'audience a annoncé son renvoi. Sans que cela puisse davantage nous surprendre, en dépit de nos demandes de remise en liberté, tous les prévenus ont été maintenus en détention. Il ne restait plus qu'à repasser à l'hôtel et repartir. J'allais demander à Ambre ce qu'elle comptait faire de sa soirée mais avant même que j'aie eu le loisir d'ouvrir la bouche, elle m'a confié que ce renvoi l'arrangeait bien car elle devait récupérer son fils le lendemain pour son droit de visite et qu'elle allait pouvoir gagner une soirée avec lui. Je l'ai raccompagnée à l'hôtel, et après avoir fait mes bagages, j'ai repris la route de Lyon. Non sans avoir appelé Dolorès pour vérifier qu'il n'y ait pas de problème, ce qui était le cas, et Julien Couderc pour le prévenir que je rentrais plus tôt que prévu. La seule question qui restait à régler était de savoir si j'allais rencontrer le commandant Rivière à mon retour ou gagner encore un peu de temps. Je n'ai pas eu le temps de me poser la question. Mon téléphone a sonné, et ayant instinctivement décroché, je n'ai pas pu me dérober.

— Je viens d'apprendre que votre procès est renvoyé, vous rentrez ce soir à Lyon ?

Il ne m'a pas laissé le temps de répondre.

— Ma démarche n'étant pas officielle, où peut-on se voir qui ne soit ni chez vous ni chez moi ?

Je n'ai pas eu davantage le temps de réagir.

— Vous voyez le Comptoir de la Bourse ? Disons, 19 heures, ça vous laisse le temps de remonter. Venez, c'est important.

# 65

La remontée sur Lyon s'est faite sans problème. Je connais cette autoroute par cœur et pourrais la parcourir presque les yeux fermés tant je l'ai empruntée dans un sens et dans l'autre. J'avais calculé que je serais sur place vers 18 h 30. J'allais devoir faire l'imbécile, éviter d'en dire trop et surtout essayer de glaner le maximum d'informations. Je regrettais seulement de ne pas avoir pris le temps de consulter sur mon ordinateur la copie de la carte SD découverte chez Dolorès, mais il n'était pas sûr que cela me soit très utile pour mon entretien avec le policier. Je me suis donc résolu à la regarder plus tard. Arrivé dans les temps, je me suis garé au parking des Cordeliers et, après avoir attendu un peu, j'ai fait mon entrée au Comptoir de la Bourse à 19 heures très précisément. Il n'y avait pas grand monde et j'ai tout de suite aperçu le type assis sur une chaise rouge près de la table en marbre, sous un grand lustre ancien, à côté d'un large présentoir de bouteilles. Ce n'était pas comme ça que je m'imaginais le commandant de police, car, à sa voix, je m'étais représenté un grand type, jeune, athlétique. Celui-là avait la cinquantaine, était chauve et légèrement bedonnant. Dès qu'il m'a vu entrer, il m'a fait signe d'approcher et de m'installer sur la chaise voisine de la sienne. Il m'a tendu une main moite.

– Vous avez bien fait de venir car nous avons des choses à nous dire.

Il me regarda avec ironie.

– Ou plutôt, j'ai des choses à vous dire. Parce que je ne me fais pas d'illusions, si les avocats sont des grands bavards quand ils sont à la cour, dès qu'ils sont avec un flic, ils ont tendance à peu l'ouvrir.

J'ai hoché la tête.

– C'est plutôt que je ne sais pas trop quoi vous dire, je suis surtout là parce que vous avez souhaité qu'on se rencontre. Je vous écoute.

Le policier s'est tout de suite agacé de ma réponse.

– Bon, on ne va pas finasser, ni faire assaut de dialectique. D'abord, je suis là officieusement, même si la juge d'instruction en charge de la procédure dans laquelle j'ai été désigné comme directeur d'enquête est non seulement au courant de ma démarche mais l'a, quelque part, suggérée. Si c'est moi qui finalement m'y suis collé c'est que, procéduralement, vous n'existez pas dans ce dossier.

– Quel dossier ?

– L'information qui vient d'être ouverte à Chambéry suite au décès de votre collaboratrice Mlle Dalbret.

– Sous quelle qualification ?

– Homicide volontaire et peut-être assassinat.

J'ai fait l'étonné.

– Ce n'était pas un accident ?

Il me regarda avec mépris.

– Ne vous faites pas passer pour plus con que vous ne l'êtes. Tenez, regardez le compte rendu de « l'accident » dont elle a été victime.

Il sortit de son blouson une dizaine de feuillets qui comportaient visiblement un rapport et des photos.

– Tenez. Je nous ai installés à cette table pour que vous puissiez lire tranquillement. C'est le rapport d'autopsie qui vient d'être remis par les légistes. Lisez !

C'était violent, car j'ai tout de suite aperçu les photos couleurs à la fois du corps tel qu'il avait été découvert et ensuite du cadavre disséqué lors des opérations d'autopsie. Je me suis toujours demandé comment des proches de victimes pouvaient supporter de tels comptes-rendus. C'était mon tour et j'ai cru que j'allais vomir. L'autre avait obtenu l'effet escompté et il a eu pitié de moi en enlevant rapidement les photos du document qu'il m'avait tendu.

– Bornez-vous à lire les conclusions, c'est assez édifiant.

J'avais évidemment l'habitude de consulter ce type de rapports, mais cette fois il s'agissait d'une jeune femme que j'avais bien connue. Il fallait que j'oublie ça pour le lire professionnellement. Je me suis appliqué à le faire comme s'il s'agissait d'une parfaite inconnue.

## 66

Le document commençait par un exposé succinct des faits : « Selon les renseignements qui nous ont été communiqués, le corps de Mme Claire Dalbret aurait été découvert le 17 novembre vers 1 h 30 en contre-bas du col de la Chambotte. Un automobiliste aurait retrouvé le corps au bord de la route, au bas d'une falaise de vingt-cinq mètres de haut, en décubitus dorsal, tête vers le haut de la route et pieds vers le bas. Selon ses dires Mme Dalbret aurait été, à son arrivée, consciente et vivante. Il serait allé chercher du secours en l'absence de téléphonie mobile. À son retour, le corps aurait été bougé avec la tête vers le bas de la route et les pieds vers le haut. À son arrivée, le SAMU aurait tenté des manœuvres de réanimation (dont deux thoracotomies) mais en vain. Le décès était constaté et le corps transporté à l'Institut médico-légal. Selon les premiers éléments de l'enquête la victime aurait été vue vers 1 heure par du personnel de l'auberge de la Chambotte qui fermait l'établissement situé au sommet du col. Elle aurait demandé où se situait le Belvédère un peu en contrebas et juste au-dessus de l'endroit où a été retrouvé le corps. On peut donc imaginer qu'elle y avait rendez-vous. Les mêmes membres du personnel n'ont pas noté de présence suspecte au moment de la fin de leur service, la dernière personne ayant quitté l'établissement étant une femme sortie quelques instants après le passage de la victime. Toujours selon les premiers éléments de l'enquête, ont été retrouvés des taches de sang en bas de la falaise à hauteur d'environ 50 cm avec présence de cheveux sur la partie saillante de la paroi rocheuse. »

Suivaient les constatations médicales : « Les radiographies du crâne, du thorax et du bassin ont montré :

– Une fracture du corps vertébral de la deuxième vertèbre cervicale avec fracas osseux en région paracervicale gauche.

– Une fracture des arcs postérieurs des côtes gauches.

L'examen externe relève :

– Une blessure contuse au niveau du cuir chevelu.

– Une hémorragie conjonctivale gauche.

– Un épistaxis gauche.

– Un enfoncement de la boîte crânienne dans la région périorbitaire gauche.

– De très nombreuses ecchymoses sur toutes les parties du visage.

– Des ecchymoses dans la région cervicale.

– Des ecchymoses dans la région thoraco-abdominale et sur tous les membres.

L'autopsie a mis en évidence :

Un polytraumatisme avec des stigmates externes et internes comprenant :

– Un traumatisme crânio-facial associant des lésions externes contuses dont certaines au niveau du visage, de multiples suffusions hémorragiques de la face interne du cuir chevelu et de l'épicrâne, une hémorragie sous-arachnoïdienne et une inondation ventriculaire.

– Un traumatisme cervical associant des stigmates externes cutanés contus, une fracture de l'apophyse et des lésions antérieures du tractus laryngé et des muscles cervicaux antérieurs.

– Un traumatisme thoracique, des fractures costales, des plaies et contusions pulmonaires, un hémothorax bilatéral.

– Un traumatisme rachidien thoracique avec fracture de plusieurs corps vertébraux.

– Un traumatisme abdominal et lombaire.

– Un traumatisme pelvien.

– Des stigmates externes d'origine traumatique avec enfoncement en région faciale, cervicale postérieure et dorsale haute.

Au vu de toutes ces constatations médicales, les légistes concluaient :

– Le décès de Mlle Dalbret est dû à un polytraumatisme et plus particulièrement au traumatisme crânio-facial, au traumatisme thoracique et rachidien avec atteinte de la moelle. Ces lésions sont à l'origine d'une détresse respiratoire centrale et périphérique aggravée par l'hémorragie externe et interne.

– Les lésions externes et internes sont compatibles avec une chute d'une hauteur élevée.

– Les lésions contuses et l'enfoncement facial sont de nature suspecte et évoquent un coup violent sur la partie du corps présentant ces lésions. Ce ou ces coups sont entrés dans la production du traumatisme crânio-facial, cervical et thoracique et ont contribué au décès.

– Ces lésions sont suspectes et évoquent l'intervention d'un tiers dans le déterminisme du décès et rendent suspecte la chute à l'origine de certaines des lésions traumatiques. »

J'ai reposé les feuillets devant moi, secoué par ce que je venais de lire et le récit de ce qu'avait dû être le calvaire de cette malheureuse. Le policier m'observait. Il m'a laissé reprendre mes esprits et a enchaîné.

– Bon, vous êtes un professionnel. Je vais synthétiser : Mlle Dalbret a été attirée dans un guet-apens par quelqu'un qui était déterminé à la faire taire. Qui, pourquoi ? Ce pourrait être des mobiles professionnels ou personnels, ou les deux. Vous savez comme moi qu'elle venait d'être entendue, ou plutôt que nous voulions l'entendre puisqu'elle n'a rien dit, dans le cadre d'un dossier curieux où elle était le conseil d'une jeune femme albanaise, Adana Hojda. Sa cliente était soupçonnée d'avoir empoisonné, en prison, une autre jeune femme qui purgeait une peine pour le meurtre de son patron. Ce dossier-là vient d'être réouvert à la suite d'une dénonciation anonyme qui remettait en cause la version officielle des circonstances du crime. Étonnamment, l'ex-femme de la victime, qui avait hérité de lui et qui se trouve être aujourd'hui votre assistante, était mise en cause par le « corbeau ». Il impliquait également son ex-compagne. Vous me suivez ?

– Pas à pas !

– C'est bien. Or nous avons découvert dans l'entourage de cette dernière personne un type dont la personnalité et le comportement nous intriguent. Il s'agit d'un ex-gendarme qui était son amant mais, grand séducteur, sautait tout ce qui bougeait dans son périmètre. Ça, ce n'est pas criminel, mais un certain nombre d'éléments nous laissent à penser que cet espèce de « gourou » aurait pu circonvenir un certain nombre de femmes pour les inciter à commettre un meurtre et pour ensuite en tirer profit. Est-ce que vous voyez où je veux en venir ?

– Je crois oui.

– Mais le type est malin et s'il a monté toute cette histoire, particulièrement dangereux. Au vu des éléments en notre possession nous avions monté un coup de filet pour récupérer tous les protagonistes de ces histoires qui, pour nous, sont liées. Le clou de l'opération, c'était bien évidemment son interpellation car nous l'aurions ensuite confronté à toutes ces bonnes femmes qui auraient bien fini par craquer. Le problème, c'est que depuis quelque temps on ne le voyait plus avec sa compagne, que son téléphone bornait mais qu'il ne parlait plus. Il a bien fallu tenter quelque chose, c'est ce que nous avons fait. Une information nous est parvenue, émanant d'une personne, mais que nous n'avons pas pu retrouver. Peu importe, elle donnait des détails précis sur le lieu où il était censé se cacher et elle donnait sur lui des détails que seule une femme qui était avec lui pouvait connaître. Nous avons décidé d'arrêter tout le monde, mais Lambert, puisque c'est de lui dont il s'agit, n'était pas au nid. Du coup, notre opération a foiré et la juge a été obligée de relâcher tout le monde dans la nature. Et c'est là qu'il réapparaît. Il sait que les deux seuls points faibles, celles qui peuvent parler et le mettre en cause ce sont Claire Dalbret et Dolorès Grangeon.

– Pourquoi elles et en quoi sont-elles concernées ?

Il ricana en secouant la tête.

– C'est ça, continuez à faire l'imbécile, je suis bien sûr qu'elles vous ont tout raconté.

– Raconté quoi ?

– Grangeon, que dans la meilleure des hypothèses pour elle, elle a été informée de leur projet criminel et qu'ils l'ont, peut-être, fait ensuite chanter. Dalbret, nous avons des raisons de penser qu'il a profité d'elle pour qu'elle fasse passer du poison à la voisine de cellule de Sabrina pour qu'elle l'élimine. Par parenthèse, la petite Albanaise, la voisine de cellule, elle est sortie de prison, et on ne l'a plus jamais revue. Il l'a sûrement fait disparaître, comme il a fait tuer Sabrina, comme il a précipité votre malheureuse collaboratrice du haut d'une falaise avant de l'achever au bord de la route, d'un coup de masse.

Il me scrutait pour vérifier s'il m'apprenait des choses ou si je les connaissais déjà. Il sourit.

— Bon, vous comprenez vite, à moins que vous ne sachiez déjà tout ça. Reste à éliminer Dolorès Grangeon, votre jolie assistante.

— Et sa compagne, ou son ex-compagne ?

— Possible, mais elle, s'il avait voulu le faire, il l'aurait déjà fait et pour des raisons qui nous échappent, il n'y a pas touché.

— Peut-être sont-ils complices tout simplement.

— Peut-être. En tout cas, on a un œil sur elle. Reste, vous disais-je, Mme Grangeon…

J'ai essayé de donner le change.

— Écoutez, tout ce que vous racontez-là ce sont des hypothèses.

Il s'est mis en colère et a presque crié, attirant l'attention des autres clients.

— Et qu'est-ce que vous faisiez hier à Jonage, sinon voler à son secours alors qu'elle courait se jeter dans la gueule du loup ? Et pourquoi vous la cachez si vous n'avez pas compris qu'elle est la prochaine sur la liste ?

Je ne savais plus quoi répondre. Il se rapprocha de moi en baissant le ton pour que personne n'entende.

– On n'est pas aux States, ni à Naples, mais je suis habilité à vous proposer un marché.

Je n'avais pas bien le choix.

– Un marché ? Quel marché ?

## 67

Le deal proposé était d'une simplicité biblique. Dolorès acceptait de faire la « chèvre » et de permettre la capture de Frédéric Lambert. En contrepartie, le juge de la JIRS de Lyon qui venait d'être saisi de toutes les procédures relatives à celui qui devenait un criminel hors norme ne se focaliserait que sur lui. Le problème c'est qu'aucun accord « officiel » ne pouvait être passé et que personne ne pouvait maîtriser ce que dirait l'ancien gendarme. Et si, pour se défendre, il la mettait en cause ? J'avais naturellement fait part au commandant Rivière de mes questionnements, mais celui-ci les avait balayés d'un revers de manche. Et puis y avait-il d'autres choix ? Dolorès n'allait pas rester cloîtrée *ad vitam aeternam*, en attendant une hypothétique arrestation de l'homme qui voulait la tuer. Le policier, pour me rassurer définitivement, avait utilisé un argument qui m'avait laissé rêveur : « De toute façon, le gaillard est un dur et il sait très bien que s'il se fait gauler c'est perpète. Il est très possible que nous ne puissions pas l'avoir vivant. » C'était évidemment, sans doute, la meilleure solution mais je me voyais mal suggérer à un policier d'abattre un suspect qui était toujours, aux yeux de la loi, présumé innocent.

Avant de retourner chez moi et de rendre compte à mon assistante des derniers développements de la situation, j'ai décidé de passer au cabinet pour visualiser la copie de la fameuse carte SD. Le contenu paraissait d'abord décevant. Il s'agissait essentiellement de photos et de vidéos que Dolorès avait réalisées à partir de son smartphone. On y voyait les principaux protagonistes de l'histoire. Mais deux vidéos présentaient plus d'intérêt. Dans l'une réalisée en caméra cachée, on entendait clairement Lambert et sa compagne la menacer et lui dire que si elle ne payait pas, ils n'hésiteraient pas à la faire tomber. Une autre correspondait à la nuit où elle prétendait avoir été droguée par Lambert. Elle m'avait dit n'en avoir conservé que des flashes. Elle avait pourtant une vidéo de cette nuit-là. Comment se l'était-elle procurée ? Est-ce que c'était Lambert lui-même qui la lui avait montrée, avant de lui donner une copie pour mieux faire pression sur elle ? Les images étaient certes gênantes mais j'ai voulu la regarder jusqu'au bout. Le plus troublant c'est que cette vidéo avait, sans nul doute, été réalisée par Christine Beraud. Que c'est elle qui dirigeait la scène et que son amant lui apparaissait totalement soumis. C'est elle qui donnait les ordres et c'est elle qui, à la fin, abusait de Dolorès, interdisant à Lambert de participer à leurs ébats. Son autorité, sa violence détonnait avec le portrait qui était jusqu'alors le sien.

J'avais décidé de ne pas parler à Dolorès de la carte SD. Je me suis contenté de lui raconter mon entretien avec le policier de la PJ, de lui détailler ce qu'il savait, ce qu'il soupçonnait et de lui faire part de sa proposition. La jeune femme m'est apparue beaucoup plus solide que quand je l'avais laissée. J'avais craint qu'elle ne sombre dans une forme de dépression, elle était redevenue combative et même déterminée. Elle m'écoutait attentivement sans manifester la moindre émotion. Quand j'ai eu fini, elle m'a fixé intensément avant de me demander :

— Qu'est-ce que je dois faire ? Je vous écouterai, je vous fais entièrement confiance.

J'ai commencé à lui expliquer les risques d'accepter la proposition qui nous était faite, mais j'ai senti très vite que sa décision était prise.

— Qu'est-ce que je risque ? Que ce salopard bave sur moi quand ils l'auront chopé ?

Elle se leva, partit dans la chambre et revint en tenant dans la main un petit objet que j'ai reconnu tout de suite comme la carte SD.

— Je ne vous ai pas tout dit. J'ai pu me ménager, disons, une « assurance » au cas où ça tourne mal. Je crois avoir quelques preuves du fait que j'ai été manipulée dans cette histoire. Je ne vous en avais pas parlé avant parce que j'ai eu très peur que cette petite carte ait pu être trouvée lors de la perquisition, mais je l'avais bien cachée.

Elle prit un air désolé.

— C'est vous qui me l'avez rapportée sans même le savoir : elle était planquée dans mes petites culottes.

J'ai fait semblant d'être surpris. Elle reprit.

— Et puis, il y a, au milieu de ces « preuves », des choses qui sont un peu dégradantes pour moi.

Elle soupira.

— De toute façon, s'il faut en passer par là, je les sortirai.

Elle réfléchit à nouveau un instant.

— Je voulais juste vous dire que je ne vous ai pas menti car je tiens trop à votre estime. Ah, la petite boîte en nacre dans mon bureau, ça m'a touchée que vous l'ayez retirée avant que les inspecteurs ne viennent pour la perquisition. Mais ne vous faites aucun souci, vous n'avez pas trahi votre serment, ni fait disparaître une preuve. Vous savez ce qu'il y a dedans ? Les alliances de mes deux parents qu'ils m'avaient demandé de leur retirer lorsqu'ils mourraient pour que je les garde toujours près de moi pour me souvenir d'eux. Je les conservais dans mon bureau, un peu comme un porte-bonheur.

Elle se redressa.

— Allez, il faut en finir avec ce cauchemar et assumer ses conneries quand on en fait. Je ne suis pas exempte de tout reproche dans cette histoire, ce sera ma façon d'expier d'une certaine manière. Allez dire à votre flic que je suis d'accord et que je me soumettrai au plan qu'ils auront mis en place. Arrivera ce qui arrivera.

## 69

Les jours suivants ont été compliqués tant sur le plan professionnel que personnel. Il m'a fallu continuer à gérer le quotidien tout en « cohabitant » avec Dolorès et en m'attachant à prendre le maximum de précautions dans l'attente de l'opération que voulait monter la police. J'avais voulu faire quelques suggestions mais on m'avait fait comprendre que je ne serais consulté ni sur son moment, ni sur ses modalités. Curieusement, les médias ne s'étaient pas encore trop branchés sur cette affaire. Seule la mort « suspecte » de Claire Dalbret avait retenu quelques heures leur attention. Mauvaise chute, suicide, personne ne parlait de crime. Les autorités policières et judiciaires avaient réussi à verrouiller toutes les infos à ce sujet. C'est l'affaire Ivanovitch qui était à la une. Les médias se focalisaient d'autant plus sur ce dossier qu'il y avait tous les ingrédients pour passionner les foules : un crime, dans le milieu du foot, l'argent et des personnages hors du commun, dont la belle Svetlana, partie civile mais présente sur les lieux la nuit du crime. J'avais un peu perdu le fil à cause des derniers événements mais avais eu confirmation que la juge avait procédé à une première mise en examen. Il s'agissait du directeur sportif de Dnepropetrovsk. Je n'avais toujours pas accès au dossier mais, d'après certaines indiscrétions, elle était la conséquence de la découverte près du corps de la victime, de son ADN. Il avait été écroué et le président du club ukrainien avait été prié, lui, de rester à la disposition de la justice française. La juge m'avait appelé et indiqué qu'elle organiserait très vite une reconstitution sur place et qu'elle y convoquerait ma cliente. Elle était certes partie civile mais la juge me précisait « par correction et respect du contradictoire auquel elle était très attachée » qu'elle envisageait aussi de lui poser des questions sur les faits. Vu les précautions oratoires, ce n'était pas très bon signe. La magistrate a respecté les délais de convocation en particulier pour le conseil du mis en examen et finalement informé toutes les parties que le transport sur les lieux aurait lieu le mardi suivant au château de Bagnols à partir de 21 heures. J'ai évidemment aussitôt prévenu ma cliente qu'elle allait recevoir une convocation et qu'il faudrait qu'elle soit présente dès le mardi matin à Lyon pour que nous préparions ensemble ce qui allait être un tournant décisif de l'affaire. Elle m'a indiqué qu'elle viendrait dès le lundi soir à Lyon.

Pour le reste, Julien Couderc s'avérait être de jour en jour un collaborateur hors pair. Bien secondé par son « intérimaire », une « beurette » issue des Minguettes mais toujours vêtue d'un jean, professant son aversion pour toutes les marques « communautaristes », inscrite en deuxième année de droit, ils me géraient le quotidien avec une efficacité qui me permettait de me concentrer sur mes deux dossiers chauds du moment.

Et Ambre ? Elle occupait souvent mon esprit depuis ces moments passés ensemble. Je ne savais quelle attitude avoir avec elle, me bornant à lui envoyer parfois un message pour lui dire qu'elle me manquait. Elle me répondait, ou ne me répondait pas. En tout cas, c'était toujours moi qui en prenais l'initiative. Jusqu'à l'avant-veille de la fameuse reconstitution. J'ai vu son prénom s'inscrire sur l'écran de mon portable, tandis que la sonnerie se déclenchait.

Elle m'appelait ! Mon rythme cardiaque s'est un peu accéléré comme quand j'étais ado et que je voyais apparaître la fille dont j'étais amoureux. J'ai fébrilement décroché.

– David ?

– Quel bonheur de t'entendre.

– Tu sais pourquoi je t'appelle ?

Cette fois mon cœur s'est mis à battre très fort.

– Je suis trop contente ! Je viens d'être désignée dans l'histoire du crime du château de Bagnols par les deux Russes qui sont mis en cause.

Je suis revenu sur terre. C'était le confrère qu'elle appelait.

– Ce ne sont pas des Russes mais des Ukrainiens.

– Oh, pour moi c'est la même chose. Tu sais, je n'ai jamais été très forte en géographie. Je viens de lire toute la presse sur cette affaire. Tu es dedans ? Pour la fille ? Tu me raconteras. La juge m'a dit qu'elle avait fixé une reconstitution sur les lieux mardi soir.

– Je sais, j'y serai bien sûr. Mais moi, je n'ai pas encore eu accès au dossier, c'est toi qui pourras me « raconter ». En contrepartie, je te brieferai sur les milieux du foot, car j'ai cru comprendre que c'était pas trop ton truc.

– Ok, on verra. On essaye de se voir avant pour en parler.

– Volontiers, quand tu veux.

Elle ne parlait plus.

– Ambre ? Tu es toujours là ?

Sa voix était un peu changée.

– David ? Je repense souvent aux moments qu'on a passés ensemble à Marseille…

– Et ?

– J'ai tout aimé. Le dîner, notre nuit… toi, tout. Voilà.

– Moi aussi, Ambre.

Elle marqua une nouvelle hésitation.

– Faudra qu'on reparle de tout ça, non ?

Cette fois, c'est moi qui ne savais que répondre.

– J'en ai très envie moi aussi.

– Alors, c'est bien.

Et elle a raccroché.

# 70

J'étais encore un peu dans les nuages quand mon téléphone a de nouveau bipé. C'était le commandant Rivière. Il voulait me rencontrer rapidement avec Dolorès, cette fois. Il m'a expliqué qu'ils avaient mis en place la souricière destinée à l'interpellation de Lambert et que l'opération pourrait se dérouler la semaine suivante. Nous nous sommes mis d'accord pour nous retrouver chez moi, le soir même. Je n'ai pas eu à lui donner l'adresse, il la connaissait déjà. J'en ai conclu que, même si je n'avais rien remarqué, mon domicile devait être sous surveillance.

Rivière est arrivé à l'heure dite, accompagné d'un officier du RAID qui allait superviser toute l'opération. Ils nous ont expliqué qu'ils avaient décidé, sous le contrôle des autorités judiciaires, de la déclencher car la situation ne pouvait pas s'éterniser et qu'il fallait « faire sortir le loup du bois ». Ils n'arrivaient en effet pas à le localiser, mais le meurtre de Claire Dalbret, le piège qu'il avait tendu à mon assistante démontraient et sa présence et sa détermination. Pour quelles raisons cet acharnement alors qu'il pouvait bien se douter qu'il était suspecté puisqu'il avait disparu ?

Rivière pensait qu'il s'imaginait sans doute, « en bon gendarme », que si personne n'était en mesure de le mettre en cause « physiquement », il pourrait toujours contester s'il se faisait prendre. Et Christine Beraud dans tout ça ? Les policiers m'ont confirmé qu'ils avaient un œil sur elle mais qu'elle ne bougeait pas beaucoup de son lieu de résidence à Saint-Étienne où elle vivait désormais. Elle habitait une petite maison dans un lotissement et était facile à surveiller. Son téléphone était sur écoute et géolocalisé en permanence. Elle n'avait reçu aucun appel suspect et n'avait apparemment plus aucun contact avec son ex-compagnon. Elle ne paraissait pas inquiète et ne prenait aucune précaution pour se déplacer. Rien ne permettait de la mettre en lien avec le suspect, rien ne permettait de penser qu'elle le craignait. Est-ce qu'ils avaient pu obtenir des informations sur le 4 × 4 Mercedes vu à Jonage ? Il avait disparu de la circulation. Est-ce qu'ils avaient remarqué des allers et venues suspects autour du domicile de Dolorès, du cabinet, de mon propre domicile ? Rien, depuis qu'elle était planquée. Le plan était simple : Dolorès allait réapparaître et son chasseur penserait qu'elle était rassurée. Il suffirait d'attendre qu'il se manifeste et soit les policiers le repéraient et interviendraient, soit ils attendraient qu'il lui fixe un nouveau rendez-vous et ils l'y surprendraient. Tout ça paraissait trop simple mais Dolorès voulait en finir elle aussi le plus vite possible. D'un commun accord, il fut décidé qu'elle regagnerait dès le lendemain son domicile. Si la caméra-espion que j'avais remarquée et dont les policiers connaissaient l'existence fonctionnait toujours, la réaction de Lambert ne devrait pas se faire attendre. Il fut aussi convenu qu'elle reviendrait au cabinet dès le lundi suivant pour conforter l'idée qu'elle se pensait tirée d'affaire.

Le week-end s'était mal passé. J'avais rendu visite à ma mère qui souffrait d'une forte angine et que j'avais trouvée très déprimée. Elle qui avait été très croyante était en train de perdre la foi.

– Tu crois vraiment qu'il y a quelque chose après la mort, mon garçon ?

Posée comme ça, la question était redoutable. Voir les êtres que l'on aime se rapprocher de la mort est toujours difficile. Surtout quand ils perdent toute espérance du côté de la vie et du côté de l'au-delà. Je l'ai rassurée, en me rassurant moi-même :

– Évidemment ! On n'est pas seulement un morceau de bidoche, on a une âme, il n'y a pas de doute là-dessus.

Elle m'a souri, tristement.

– Décidément, toi, tu es un bon avocat !

À peine l'avais-je quittée que j'ai reçu deux appels téléphoniques de la prison qui ont fini de me plomber le moral. Nous vivons une époque formidable, tous les détenus ou presque, ont le téléphone en détention, alors que c'est naturellement interdit. Tout le monde a démissionné depuis longtemps et renoncé à enrayer sérieusement le phénomène. Comme dit mon chauffeur de taxi préféré que j'appelle quand je n'ai pas envie de prendre ma voiture, qui suit ma carrière comme un vrai fan, et dont tous les propos sont marqués du sceau du bon sens : « On m'ôtera pas de l'idée qu'"ils" font ça pour assurer la paix sociale. C'est comme les allocs, le RMI, le RSA, le chômage et maintenant le trafic de drogue dans les quartiers. Le seul truc, maître, c'est qu'au bout du compte, qui c'est qui paie ? Pardi, ceux qui travaillent, vous et moi ! » Je ne le contrarie pas parce que je ne suis pas loin de penser la même chose. En attendant, aujourd'hui, les clients vous appellent de la taule pour se plaindre que vous ne les visitez pas assez souvent, qu'ils ne sont pas contents du résultat et que si vous ne venez pas la semaine prochaine, ils vont vous virer. Ils peuvent même parler à des « gentils » confrères qu'ils appellent ou qui les appellent pour leur dire qu'ils ne comprennent pas ce qu'ils font en prison et que si c'étaient eux qui s'occupaient de leur dossier, ils seraient déjà sortis.

Désigné depuis des mois dans une grosse affaire financière et alors que j'allais le faire remettre en liberté, mon client m'expliquait qu'il avait parlé « cette nuit » (*sic*) à une avocate parisienne qui lui avait assuré qu'elle était une grande spécialiste de ce type de dossiers et que, s'il la désignait, elle le ferait libérer rapidement. Il avait donc décidé de la choisir pour me succéder. J'étais ulcéré : elle allait tirer tout le profit de mon travail et le persuaderait que c'était grâce à son inter-vention qu'il était libéré. La cerise sur le gâteau c'est quand, avant de raccrocher, il m'a demandé de lui rendre une partie des honoraires déjà perçus. Ce premier appel m'avait déjà déprimé, le second a fini de me saper le moral. Le mec était fou, accusé d'un double meurtre et accablé par des éléments qui ne laissaient que peu de doute sur sa culpabilité. Il hurlait que j'étais nul de ne pas avoir obtenu sa remise en liberté alors qu'il n'y avait rien dans le dossier, qu'il allait écrire aux journaux, qu'il allait prendre Dupond-Moretti et qu'à la sortie, il viendrait brûler mon cabinet et me mettrait une balle. On a beau s'habituer à ce type de menaces, ça vous secoue toujours un peu.

Je me suis dit que le seul truc qui pourrait me redonner un peu le moral serait une victoire de mon club de foot favori, l'AS Saint-Étienne. Ça tombait bien, les Verts jouaient le soir même. J'ai filé à Geoffroy-Guichard pour retrouver cette ambiance qui avait bercé mon enfance et mon adolescence. Quel bonheur, j'ai chanté comme un gosse pendant deux heures, versé une larme quand Berić a marqué le but de la victoire à la 90$^e$ minute, embrassé des gens inconnus que je ne reverrai sans doute jamais, et lu et relu avant de reprendre la route les commentaires de tous les médias sportifs qui encensaient mon équipe préférée. Puéril ? Vain ? Peut-être. Mais comme ça m'a fait du bien !

## 72

Le lundi est toujours un jour difficile. Il faut faire le planning de la semaine, répondre au téléphone, recevoir les rendez-vous et ce jour-là, il fallait remettre Dolorès dans le circuit. Tout s'est bien passé avec la secrétaire de Julien et leur collaboration s'est tout de suite avérée excellente. Elle était retournée depuis trois jours à son domicile. Et rien ne s'était passé. Bien que toujours sur le qui-vive elle ne donnait pas l'impression de stresser particulièrement. La journée s'est déroulée sans événement majeur. Je commençais à m'étonner de ne pas avoir de nouvelles de Svetlana quand celle-ci m'a contacté. Il devait être aux environs de 19 heures quand elle m'a appelé pour me dire qu'elle était arrivée à Lyon qu'elle avait pris ses quartiers à l'Hôtel Intercontinental à l'Hôtel-Dieu et me proposait de venir prendre un verre au bar du Dôme.

– Vous ne regretterez pas, vous verrez, c'est un lieu magnifique. J'avais exceptionnellement fini mes rendez-vous, n'avais rien de spécial à faire et j'ai accepté. C'est vrai que l'endroit que je ne connaissais pas encore est majestueux. Sous la coupole qui doit culminer à une trentaine de mètres, le bar est le point névralgique de l'établissement. Quand je suis arrivé, Svetlana m'attendait déjà assise sur une banquette.

À ma vue, elle s'est précipitée vers moi et, avant même que j'aie pu esquisser un geste, m'a embrassé comme si nous étions des amis de toujours. Elle m'a tout de suite conseillé de commander le cocktail maison composé de sirop de praline rose, vodka, citron et champagne rosé. Je n'ai pas regretté de l'avoir écouté. Tout en échangeant des banalités, je ne pouvais m'empêcher d'être séduit par cette magnifique jeune femme et m'en voulais un peu d'être plus concentré sur son physique que sur la raison de notre rencontre. Il faut dire que le deuxième « Dôme » faisait rapidement effet. Elle était naturellement consciente de l'état dans lequel elle me mettait mais m'a soudain pris la main en souriant, pour me ramener sur terre.

– Et si on parlait un peu de notre affaire. Vous avez du nouveau ?

Je ne savais rien de plus que ce que disaient les médias. J'avais essayé de rappeler Ambre pour savoir ce qu'il y avait dans le dossier mais celle-ci avait esquivé diplomatiquement en prétextant des audiences à l'extérieur. C'était de bonne guerre car il n'était pas évident qu'au bout du compte nous aurions des intérêts communs dans ce dossier. Le seul élément nouveau était la mise en examen du directeur sportif ukrainien.

– Qu'est-ce qu'ils ont contre lui ?

– Je crois qu'on a trouvé son ADN près du corps de votre père.

Elle secoua la tête.

– Pourquoi l'aurait-il tué ?

– Pourquoi pas ? Il n'avait ni plus, ni moins de raisons de le faire que tous ceux qui étaient présents cette nuit-là.

– Vous m'incluez dans le lot ?

– Évidemment. Vous avez vous-même reconnu devant moi que vous étiez folle de rage contre lui…

Elle m'interrompit.

– Ce n'est pas un mobile suffisant.

– Vous plaisantez ? J'ai vu des gens tuer pour bien moins que ça. Et puis vous l'avez frappé avant de lui dérober son ordinateur.

– Ça y est, ça vous reprend. Vous n'allez pas me soupçonner d'être l'auteure du crime, non ?

– Je me fais l'avocat du diable mais si tous ces éléments étaient connus de la justice, vous deviendriez la principale suspecte.

Elle éclata de rire.

– Oui, mais on ne va pas leur dire !

– On est d'accord, Svetlana, mais on ne sait pas exactement ce que, eux, savent.

– Peu importe, vous êtes là pour me défendre, non ?

– Évidemment.

– Alors, qu'est-ce qu'il faut que je dise ?

On y était. À cette question cent fois posée à tous les avocats de la terre par tous les accusés de la terre. Et à laquelle il n'y pas de réponse. L'avocat n'est pas là pour répondre à la place de celui qu'il assiste, pas plus qu'il n'est là pour faire le travail du policier ou du juge. Alors il conseille à son client de dire, si ce n'est la vérité, du moins une vérité « acceptable » pour celui qui l'interroge et dans un intérêt bien compris de sa défense.

– Dites-en le moins possible. Répondez aux questions qu'on vous pose. Ne partez pas dans des digressions dont tout le monde se fout. Ne cherchez pas d'explications. Ne plaidez pas. C'est mon job et, dans tous les cas, je ferai ça mieux que vous.

Elle réfléchissait à ce que je venais de lui dire.

– Et si les autres m'accusent, me chargent, on ne sait jamais.

– Vous répondez qu'ils mentent ou qu'ils se trompent.

– Et si on me demande pourquoi ?

– Vous n'en n'avez aucune idée. Vous n'êtes pas dans leur tête.

La méthode visiblement lui convenait et, comme c'était une fille intelligente, elle serait une élève disciplinée.

– Sur le déroulement des faits pendant la nuit ?

– Vous répétez ce que vous avez dit aux policiers lors de votre première audition.

– C'est que je ne me souviens plus des détails.

J'ai fait la moue.

– Ça c'est le problème quand on ne dit pas la vérité. Il y a toujours le risque qu'on se « coupe ». On révise ?

– Volontiers. Je commence et vous me dites s'il y a des trucs qui ne vont pas.

– Allons-y. Vous êtes arrivée à quelle heure au château de Bagnols ?

– En fin d'après-midi.

– Vous êtes restée tout le temps à l'hôtel à partir de ce moment-là ?

– Non. Je suis allée dîner à Lyon.

– Pourquoi ne pas avoir dîné à l'hôtel ?

Elle réfléchit.

– Je trouvais l'endroit triste et je ne connaissais pas Lyon.

– Pourquoi étiez-vous venue ?

– J'avais appris ce qui se tramait autour de cette émission de télévision et j'étais venue pour dire à mon père que c'était une mauvaise idée d'y participer.

– Pourquoi ne pas l'avoir appelé tout simplement ?

– Nous étions en froid, il ne me prenait plus au téléphone.

– Pourquoi ne pas avoir essayé de le rencontrer quand vous êtes arrivée à l'hôtel ou dans la soirée ?

– À la réception, ils m'ont dit qu'il avait demandé, si on le cherchait, de répondre qu'il était reparti pour un rendez-vous sur Lyon et qu'il ne rentrerait que tard dans la soirée.

– Pourquoi ne pas avoir donné votre véritable identité quand vous avez retenu votre chambre d'hôtel ?

– Je ne voulais pas que mon père sache que j'étais là, sinon il m'aurait fuie. Et puis je n'ai pas donné une fausse identité, j'ai donné le nom sous lequel j'exerçais mon activité de mannequin.

– Est-ce qu'à votre retour à l'hôtel vous avez rencontré quelqu'un ?

– Oui. Samuel Ikpebo, le joueur de foot. Il était accompagné de sa sœur qui est désormais son agent, je crois.

– Il était quelle heure ?

– Ce devait être vers 23 heures.

– Vous avez parlé ?

– On s'est salué mais il était tard et chacun avait hâte de retrouver sa chambre.

– Qu'avez-vous fait ensuite ?

– J'ai pris une douche et je me suis couchée.

– Vous n'êtes pas ressortie de votre chambre jusqu'à la découverte du crime ?

– Non.

– Vous n'avez pas essayé de joindre votre père ?

– Non.

Elle me regardait comme une gamine soucieuse de plaire à son maître. Elle en était presque touchante.

– C'est bien ?

– Nickel. Et si on vous sort des trucs imprévus, adaptez-vous tout en respectant les principes dont on a parlé, OK ?

– Oui, maître.

Elle esquissa un salut militaire, puis prenant un air mutin :

– Bon, on a bien travaillé, maintenant récré ! Où est-ce qu'on va dîner ?

Le troisième « Dôme » m'avait un peu « travaillé ». J'étais fatigué et la journée du lendemain serait longue.

– Nulle part. Demain à cette heure-là, nous attaquerons une longue nuit de reconstitution. Alors, si j'ai un bon conseil à vous donner, allez dormir tôt pour vous y préparer. C'est ce que je vais faire.

Ce n'est pas ce qu'elle avait prévu et elle me jeta un regard contrarié. Elle se leva, prit son sac, partit en titubant légèrement à cause de l'alcool, puis, se retournant, me lança :

– Rabat-joie !

## 73

Je venais de sortir avec précaution du parking République, priant le ciel de ne pas croiser une patrouille de police munie d'un éthylotest quand Dolorès m'a appelé. Sa voix était légèrement tremblante.

– Ça y est, il m'a contactée.

Ça m'a dégrisé d'un coup.

– Comment a-t-il fait ?

– En rentrant chez moi il y avait dans la boîte aux lettres un téléphone avec sans doute une carte prépayée. Je suis remontée à mon appartement et quelques minutes après il a sonné, c'était lui.

– Vous avez reconnu sa voix ?

– Difficilement parce qu'il utilisait un brouilleur. Vous savez, on a l'impression qu'on vous parle du fond d'un tonneau.

– Qu'est-ce qu'il vous a dit ?

– Qu'il fallait qu'on parle. Qu'il ne me voulait pas de mal. Qu'il était le seul à pouvoir me sortir de ce guêpier.

– Qu'est-ce que vous avez répondu ?

– Je lui ai demandé s'il avait voulu aussi « parler » avec Claire.

– Et alors ?

– Il m'a dit que c'était un accident. Qu'il voulait elle aussi l'aider mais qu'elle était tombée. Enfin, je n'ai pas très bien compris mais, de toute façon, j'ai fait semblant de le croire.

– Concrètement, qu'est-ce qu'il a proposé pour cette rencontre ?

– Il sait que les flics me tracent et m'a dit que si je leur en parlais ça pourrait le rendre « méchant ».

– Vous les avez appelés ?

– Non, pas encore. Je voulais d'abord parler avec vous.

– Qu'est-ce qu'il vous a suggéré pour ce rendez-vous ?

– Il m'appelle demain vers 19 heures sur ce téléphone et il me guidera. Il m'a dit de ne pas faire confiance aux flics, aux juges et promis que si je venais seule, il me donnerait le moyen de sortir de cette galère.

Elle paraissait ébranlée.

– Dolorès ? Vous ne l'avez pas cru ?

Elle ne répondait pas.

– Je ne sais pas. Je ne sais plus. Qu'est-ce que vous en pensez ? Qu'est-ce qu'il faut faire ?

Je ne voyais pas d'autre solution que d'en parler aux policiers.

– Vous voulez que je me charge de les prévenir ?

– Faites ce qui vous paraît le mieux, je vous fais confiance.

– Je m'en occupe et je verrai aussi le juge demain matin. Soyez au cabinet dans la matinée, on s'organisera.

À peine raccroché, j'ai appelé le commandant Rivière. Je lui ai expliqué ce que venait de me dire Dolorès et, comme il devait sans doute rendre compte au juge et au parquet, j'ai demandé qu'il m'organise un rendez-vous avec eux, à la première heure au palais. Dix minutes plus tard le commandant me confirmait le rendez-vous au cabinet du juge Hüttler en présence de la parquetière, qui suivait le dossier à 8 h 30. Il n'assisterait pas à l'entretien mais me verrait ensuite pour me donner les instructions nécessaires pour Dolorès. Je l'ai rappelée pour la rassurer. Lui dire que je verrai le juge et le parquet pour m'assurer que les engagements vis-à-vis d'elle seraient tenus et les policiers pour lui indiquer la marche à suivre.

## 74

Le rendez-vous était fixé au quatrième étage du palais de justice et lorsque je suis arrivé le juge était déjà dans son bureau. Son greffier m'a fait patienter à l'extérieur en m'expliquant qu'on attendait « madame la procureure ». Elle s'est présentée avec un quart d'heure de retard et m'a à peine salué avant de s'engouffrer dans le cabinet de son collègue de l'instruction. On retrouvait de bonnes habitudes puisque j'ai dû attendre une vingtaine de minutes avant d'y être introduit à mon tour. Le juge Hüttler s'est levé pour m'accueillir et nous avons échangé une poignée de mains très franche. La parquetière, elle, m'a tendu une main molle, ne m'a pas regardé en face et a continué à mâchonner un chewing-gum tandis que nous nous installions. Je savais que Mme Desplats n'avait guère d'estime pour les avocats et chaque fois qu'elle venait à l'audience, les incidents n'étaient pas rares. Hüttler, lui, était un magistrat qui avait le respect de tous. La soixantaine, grand, maigre, un visage taillé à la serpe, il portait toujours des lunettes légèrement fumées qui dissimulaient un regard qu'on imaginait très bleu. Cheveux courts et grisonnants, toujours impeccablement vêtu d'un costume et portant cravate, il détonnait au milieu de ses collègues qui étaient de plus en plus souvent en jean, chemise ouverte. Son nom, les origines autrichiennes de sa famille qu'il revendiquait lorsqu'on l'interrogeait, sa rigueur, voire sa froideur et sa sévérité lui avaient valu le sympathique surnom d'« Obersturmführer » de la part de ceux qui ne l'aimaient pas. Il était en poste depuis quelques années à la JIRS de Lyon qui traite les dossiers de grande criminalité, et j'avais les meilleurs rapports avec lui. Nous nous étions découvert un goût commun pour Verdi lors d'une soirée où nous nous étions croisés à l'Opéra. Veuf, un peu marginalisé dans son milieu professionnel, il devait avoir peu d'amis et nous avions construit une relation de confiance. Il était parfaitement fiable et quand il me suggérait de différer une demande de mise en liberté qu'il s'engageait à m'accorder dès le retour d'une commission rogatoire, il tenait toujours parole. Il a désigné la pile de dossiers disposés sur son bureau :

– Comme d'habitude, j'ai beaucoup de chance, on me refile les bébés les plus pourris de la terre.

Il marqua un temps d'arrêt et fixa la procureure.

– Et celui-là mérite une mention spéciale. Je m'explique et résume pour que nous soyons bien en phase au moins sur le cadre procédural. Je viens d'être saisi, à la demande du parquet, et suite au dessaisissement de plusieurs collègues de l'instruction dont certains qui ne sont pas du ressort territorial du TGI de Lyon, de trois dossiers qui seraient susceptibles de n'en faire qu'un. J'y ai passé tout le week-end et je vais donc essayer de synthétiser.

Il sortit d'une sous-cote orange quelques feuillets de notes manuscrites.

– Il y a cinq ans, en Haute-Loire, disparaissait puis était retrouvé assassiné un entrepreneur d'une entreprise de plastique, Armand Grangeon. Très rapidement les investigations aboutissaient à l'interpellation et à la mise en examen de sa secrétaire et maîtresse qui reconnaissait les faits. Elle donnait des explications plausibles sur ses mobiles et sur les circonstances de faits, tous ses aveux étant corroborés par l'enquête et les constatations médicales. Au terme de l'instruction et d'un procès d'assises sans histoire, elle était condamnée à une peine de quinze ans de réclusion criminelle.

Alors qu'elle purgeait sa peine, elle allait être retrouvée morte dans sa cellule. Il apparaissait qu'il pouvait s'agir d'un empoisonnement mais aucun élément tangible ne permettait d'incriminer qui que ce soit. Par ailleurs, l'hypothèse d'un suicide n'étant pas à exclure, l'enquête sur les recherches des causes de la mort qui avait été ouverte était classée sans suite. Or, il y a quelques mois, une dénonciation anonyme très circonstanciée parvenait aux services de police de Clermont-Ferrand. Son auteur expliquait qu'en fait l'assassinat d'Armand Grangeon était le fruit d'un véritable complot. Il racontait que ce dernier, dont la vie sentimentale et sexuelle était très intense, avait fini par focaliser la haine de plusieurs femmes qu'il avait successivement ou concomitamment séduites. Sa secrétaire, son ex-compagne et son épouse. Ces femmes se seraient concertées et auraient formé le dessein de le tuer. Le mobile principal semblant être le dépit amoureux mais pas seulement. En effet, l'épouse qui bénéficiait d'une assurance-vie très conséquente aurait été mise à contribution pour « financer » l'opération et « indemniser » en quelque sorte chacune d'entre elles de ses « préjudices ».

Le magistrat, m'ayant vu hocher la tête, s'adressa à moi :

– Je ne dis pas que c'est ce qui s'est vraiment passé, maître, je vous dis ce qu'explique ce fameux « témoin digne de foi mais désirant garder l'anonymat », comme on dit dans les procédures. Je peux poursuivre ?

– Je vous en prie.

– Donc, toujours selon ce « dénonciateur », elles auraient constitué une sorte de « caisse » pour assister l'auteure du crime pendant sa détention et dans la perspective de la sortie et, pour l'ex-compagne et l'épouse, se partager le reste du gâteau. Toujours selon lui, un autre personnage aurait joué un rôle capital dans l'organisation de cette entreprise criminelle. Il s'agit d'un ancien gendarme, amant de l'ex-compagne au moment des faits, Frédéric Lambert. À ce stade, deux hypothèses peuvent être envisagées : ou bien, cet individu se greffe sur le projet, ou il en est l'instigateur et on le verra plus tard, le bras armé. Dès maintenant je vous le précise très confidentiellement, le fameux témoin anonyme, nous l'avons finalement identifié, c'est le mari de Sabrina, avec qui elle était plus ou moins séparée, mais qui avait renoué avec elle après le procès, obtenu un permis de visite et sans doute reçu ses confidences. Ce qui explique qu'après avoir réfléchi sans doute quelques mois après le décès tragique de Sabrina, acquis la conviction qu'on l'avait assassinée pour la faire taire, il avait décidé, pour venger sa mémoire, de dénoncer les faits. Suite à cela, naturellement une nouvelle enquête a été ouverte et elle a fait apparaître des éléments pouvant corroborer ces accusations.

À cet instant, le greffier a frappé à la porte qui séparait son bureau de celui du juge, passé la tête dans l'entrebâillement pour l'informer de l'arrivée du commandant Rivière. Hüttler agacé d'être interrompu lui a dit de le prévenir qu'on le verrait plus tard. Avant de reprendre son exposé.

– Quels sont les éléments qui ont permis aux nouveaux enquêteurs désignés de conforter cette histoire ? D'abord, la réalité de l'héritage et l'assistance dont avait, certes modestement en apparence, bénéficié Sabrina. Des mouvements suspects sur les comptes de l'héritière à destination de la Suisse qui pouvaient conforter l'idée d'un « partage ». Ensuite, la mort, elle aussi suspecte, de Sabrina. Son cadavre a été exhumé pour procéder à de nouvelles analyses et des recherches ont été effectuées sur la période précédant son décès. Et là, sont apparus des faits extrêmement troublants.

Il s'adressa à nouveau à moi, prenant un air navré.

– Des faits susceptibles de mettre en cause votre malheureuse collaboratrice. Je m'explique : celle-ci avait été désignée dans des conditions un peu surprenantes par la compagne de cellule de Sabrina et avait été soupçonnée par les gardiens du centre pénitentiaire de Corbas de lui avoir fait passer différents objets au parloir. De là à lui avoir remis du poison…

Le juge anticipa mes protestations.

– Je sais, je sais, il s'agit là de spéculations. Mais ce que les enquêteurs ont découvert par la suite s'est avéré extrêmement troublant. Pendant cette période-là Claire Dalbret avait un amant dont la description faite par certains témoins laissait à penser qu'il pouvait s'agir de Frédéric Lambert. Et c'est là que les policiers ont essayé de cerner davantage le personnage. Les éléments réunis étaient accablants et inquiétants. Chassé de la gendarmerie suite à des faits de harcèlement sur des collègues femmes, soupçons de malversations et de pressions sur des témoins, violences. Ils découvraient un rapport d'expertise psy qui avait été commandé à l'époque par sa hiérarchie et qui le décrivait, je cite, entre autres, comme « un narcissique pervers, manipulateur, profitant sans vergogne de sa capacité à séduire des femmes pour les soumettre à ses volontés, personnage dangereux à tendances sadiques, border-line ». Ces informations donnaient une nouvelle coloration à l'enquête et ce d'autant plus qu'un certain nombre de points troublants allaient confirmer leurs doutes. Ainsi, la compagne de cellule de Sabrina, une jeune femme d'origine albanaise, avait été remise en liberté suite à un vice de procédure, et qui était venu la récupérer à la sortie du centre pénitentiaire ? Un homme dont la description correspond encore à Lambert. Plus inquiétant encore, personne ne l'a jamais revue. Les magistrats chargés de ces différentes procédures avaient donc décidé de réaliser un vaste coup de filet. Ils souhaitaient pouvoir faire entendre Dolorès Grangeon et Christine Beraud sur le fond, Frédéric Lambert, bien sûr, et surtout le confronter à Mme Grangeon et Mlle Dalbret. Ils avaient également prévu d'entendre le mari de Sabrina, dont ils pensaient qu'il pouvait être le « corbeau », pour qu'il précise ses accusations. Malheureusement cette opération a fuité dans des conditions qu'il faudra préciser et lors des interpellations ni Lambert, ni l'ex-mari de Sabrina n'ont été retrouvés. Lambert semblait se cacher depuis quelque temps, quant à l'ex-mari, il avait disparu. Il leva la tête de ses notes pour mesurer l'effet de ce qu'il allait dire.

– On a retrouvé son corps, il y a quarante-huit heures, sous un tas de branchages dans une forêt aux confins de l'Ardèche et de la Haute-Loire. D'après les premières constatations, il est décédé de mort violente. Je ne vous apprendrai pas malheureusement que Claire Dalbret a été elle aussi vraisemblablement assassinée et pas davantage qu'on voulait de toute évidence attenter à la vie de Mme Grangeon.

Il respecta un nouveau temps de silence, croisa ses mains avant de poursuivre.

– Je disais qu'il y avait deux hypothèses. Compte tenu des événements que je viens de relater, il est de moins en moins exclu que ce soit Frédéric Lambert l'instigateur de cette entreprise criminelle et que, quelque part, Mme Grangeon soit aussi victime. C'est ce qui nous a incités à lui faire proposer, par votre intermédiaire, ce que nous pourrions appeler un « deal ».

Mme Desplats leva les yeux au ciel, avec un air désespéré.

– Sachez que je n'y étais pas très favorable.

Elle avait dit ça, tout en continuant de mâcher son chewing-gum.

Mais le juge Hüttler coupa court.

– On ne va pas revenir là-dessus, madame la procureure. Nous en avons suffisamment discuté et avec votre chef de parquet lui-même.

Il revint à moi.

– Je disais, qu'après avoir examiné la situation de près, et si votre cliente collabore pour nous permettre de mettre hors d'état de nuire un criminel psychopathe particulièrement dangereux, nous ne chercherons pas davantage à l'impliquer.

Je réfléchissais rapidement aux moyens possibles de garantir un tel arrangement mais ne voyais pas vraiment quelles étaient les solutions.

– Quelles garanties me proposez-vous ?

Hüttler me fixa intensément.

– Vous savez bien qu'il n'y en a aucune.

Il tendit sa main en avant, un peu comme lorsque les témoins ou les experts prêtent serment.

– Mais vous avez ma parole.

Et se tournant vers la magistrate du parquet.

– Et celle de monsieur le procureur que Mme Desplats représente aujourd'hui. Nous sommes bien d'accord ?

Tout en continuant à ruminer, elle maugréa :

– C'est ce qui a été convenu.

J'avais confiance en la parole du magistrat, beaucoup moins dans celle de la parquetière.

– Et si Lambert, pour se venger, la chargeait ? On ne sait jamais.

Le juge répondit instantanément.

– Je vous ai dit que vous aviez ma parole.

Avant d'ajouter, sibyllin.

– Et puis compte tenu de la personnalité de cet individu, je ne suis pas sûr qu'il se laisse prendre vivant.

C'était la deuxième fois que je croyais comprendre qu'il y avait peu de chances qu'on l'interpelle vivant.

– Et Christine Beraud ? Qu'est-ce que vous en faites ? Quelle sera son attitude ?

Une fois encore, sa réponse fut immédiate.

– Nous savons qu'elle n'a plus aucun contact avec lui et sa discrétion semble plutôt plaider en sa faveur. Elle bénéficiera du statut de « victime » reconnu à votre cliente.

– Comment vous expliquez qu'il ne s'en est pas pris à elle ?

– Un certain nombre de témoins décrivent l'existence d'un lien affectif très fort entre eux, presque fusionnel. Même s'ils se sont séparés, on ne peut pas exclure qu'il demeure et que, dans ces conditions, il n'a rien tenté et ne tentera rien contre elle.

Le juge Hüttler se leva pour prendre congé et me confier au commandant Rivière qui attendait dans le bureau voisin. Il me tendit à nouveau la main :

– Vous allez voir avec les policiers en charge de cette opération les détails pratiques. Nous restons bien évidemment tous en contact. À plus tard.

## 75

L'entretien avec le policier fut relativement bref. Celui-ci se borna à me donner des instructions générales à transmettre à Dolorès et à me confier, pour la lui remettre, une puce afin qu'elle puisse être géolocalisée en permanence. À partir de 19 heures tous les services concernés par l'opération seraient en alerte ainsi qu'une équipe d'intervention du RAID. Ils ne la perdraient pas de vue une seconde et interviendraient dès que les circonstances le permettraient. Retenu dans le même temps à ma reconstitution je souhaitais être informé du déroulement des événements. Après en avoir référé à sa hiérarchie et Hüttler, Rivière me proposa de me faire déposer dans l'après-midi un récepteur branché sur les fréquences des équipes concernées par l'opération, le fonctionnaire devant également expliquer à Dolorès le fonctionnement de la balise.

Il ne me restait plus qu'à lui relater mon entretien avec le juge et lui détailler les instructions du policier. Je l'ai trouvée très calme et déterminée. J'ai évité de lui parler de la mort du mari de Sabrina, jugeant qu'il était inutile d'ajouter du stress au stress. L'après-midi s'est déroulée dans une ambiance tendue. Comme prévu, un policier est passé vers 16 heures. En quelques minutes, il nous a expliqué à chacun ce que nous devions savoir et m'a même fourni un écouteur Bluetooth pour que je puisse utiliser plus facilement le récepteur, sans que les gens autour de moi entendent quoi que ce soit. Ce qui m'angoissait le plus c'est que plus l'heure avançait, plus je craignais que les deux événements du jour se télescopent. Je ne m'imaginais pas rester à l'écart de l'arrestation de Lambert et surtout ne pas pouvoir m'assurer à chaque seconde que mon assistante était protégée, mais je ne pouvais pas non plus ne pas me rendre à la reconstitution du château de Bagnols dont je savais qu'elle pouvait être décisive pour Svetlana.

C'est elle qui m'a appelé vers 17 heures pour me demander quand elle pouvait me retrouver au cabinet pour que nous y allions de concert. Le rendez-vous sur place étant fixé à 21 heures, je lui ai proposé de m'y rejoindre pour 20 heures. À peine avais-je raccroché que je recevais un texto d'Ambre. Elle me proposait de nous rendre ensemble à la reconstitution. J'ai dû décliner avec regret sa demande, lui expliquant que je m'y rendais avec ma cliente. Sa réponse n'a fait que l'accentuer. « Dommage. On aurait pu avoir un moment seuls. À l'aller et aussi au retour… »

## 76

Il ne s'est rien passé jusqu'à l'arrivée de Svetlana. La tension était montée d'un cran à partir de 19 heures. J'étais resté avec Dolorès, renvoyant Julien Couderc à qui j'avais tout expliqué et qui m'avait proposé soit de rester avec elle, soit de me remplacer à la reconstitution. J'ai eu du mal à l'abandonner mais c'est elle qui m'a rassuré.

– Ne vous faites pas de souci pour moi. Vous avez fait tout ce que vous pouviez humainement et professionnellement faire. Je sais maintenant que si je franchis ce cap, toute cette histoire ne sera plus qu'un mauvais souvenir et que je pourrai repartir sur de nouvelles bases.

Elle sourit tristement en me regardant.

– Et peut-être toujours avec vous, ici, si vous le voulez bien. J'aime ce que je fais ici.

Elle ajouta, cette fois, évitant de croiser mon regard :

– Et j'aime être avec vous.

– Vous savez bien qu'il n'y aura pas de problème. Moi aussi, j'aime la façon dont on travaille ensemble.

Je l'ai prise dans mes bras et j'ai senti qu'elle tremblait. C'est elle qui s'est détachée de moi.

– Allez, filez. Je sais que cette reconstitution est importante et que votre présence y est cruciale pour votre cliente. Je vous ai même préparé le dossier, ça m'a évité de trop penser. J'ai vu que vous n'aviez pas encore le CD de la procédure mais, du coup, je vous ai récupéré tous les articles de presse sur Internet. Passionnante, cette histoire.

Elle réfléchissait.

– C'est fou, mais j'avais l'impression qu'on avait eu un dossier qui ressemblait à ça. Ça ne vous dit rien ?

– Je ne sais plus, Dolorès.

Il fallait partir. Le cœur battant très fort, avec la crainte de la voir pour la dernière fois, j'ai refermé la porte de son bureau, retrouvé Svetlana dans la salle d'attente et nous avons rejoint ma voiture pour prendre la route de Villefranche-sur-Saône.

## 77

Le voyage jusqu'au château de Bagnols s'est déroulé sans histoire. J'avais la sensation que ma passagère me faisait la tête. Lorsque je lui ai posé la question, elle m'a répondu qu'elle avait l'impression que c'était moi qui paraissais contrarié. Je lui ai simplement répondu que j'avais des soucis professionnels et que je me concentrais au maximum sur la reconstitution qui nous attendait. J'avais glissé le récepteur dans ma sacoche et fixé l'écouteur dans mon oreille gauche pour qu'elle ne l'aperçoive pas et ne me pose pas de questions. Arrivés à proximité du château nous avons dû franchir un premier barrage composé des médias qui étaient tenus à l'écart mais se précipitaient à l'arrivée de chaque nouveau participant. Les flashes crépitaient dans la nuit tandis que les gendarmes requis pour interdire l'accès aux non-professionnels me faisaient signe d'avancer dès qu'ils m'eurent reconnu.

À notre arrivée, il y avait déjà beaucoup de monde dans la cour permettant d'accéder à la réception. Le cérémonial est toujours le même. On salue d'abord le juge d'instruction, en l'occurrence une magistrate nouvellement nommée et que je rencontrais pour la première fois, sa greffière, le magistrat du parquet, un jeune barbu que je ne connaissais pas davantage, les policiers enquêteurs, des gendarmes du service d'ordre, des gens de l'identité judiciaire, des experts, des légistes et bien sûr les consœurs et confrères quand il y en a. J'ai tout de suite cherché Ambre mais j'ai aperçu le véhicule de l'administration pénitentiaire qui avait dû amener son client et j'ai compris qu'elle était à l'intérieur, en train de se concerter avec lui. Quand tout le monde a été là, la greffière a fait l'appel des personnes convoquées pour s'assurer qu'il ne manquait personne. Ça m'a donné l'occasion de visualiser tous ceux qui allaient y participer et surtout les principaux protagonistes. Il y avait donc là, conviés comme témoins, la journaliste de télévision et le cameraman preneur de son qui l'accompagnait cette fameuse nuit, l'ancien président du club de Toulouse, le président du club de Dnepropetrovsk, son directeur sportif désormais mis en examen, détenu, et assisté par Ambre. Étaient également présents Samuel Ikpebo et sa sœur, prénommée Louisa. Quelques membres du personnel de l'établissement faisaient aussi partie des témoins de la soirée et seraient entendus. Svetlana d'habitude si sûre d'elle était visiblement impressionnée par le déploiement de forces et ne me quittait pas d'une semelle. Le problème c'est que manquait à l'appel le responsable du laboratoire de police scientifique de Lyon qui avait supervisé toutes les expertises. Il venait d'appeler pour expliquer qu'il était bloqué sous le tunnel de Fourvière suite à un accident et que « ça n'avançait pas ». Il commençait à faire très froid et, contrariée, la juge nous a fait pénétrer à l'intérieur de l'établissement où la direction nous avait aménagé un salon. Après s'être concertée avec les services de police et de gendarmerie pour voir comment rapatrier dans les meilleurs délais l'intéressé, elle nous a annoncé que la reconstitution commencerait avec une heure de retard. J'ai senti à ce moment-là une pression sur mon bras et ai découvert Ambre que je n'avais pas vue se rapprocher de moi. Elle avait opté pour une tenue de circonstance : bottines, jean, gros pull, blouson. Je portais à peu près la même. Lors de ces transports sur les lieux, surtout en hiver, il fait souvent très froid. Et même si celui-ci allait surtout se dérouler à l'intérieur, compte tenu de la configuration des lieux, il allait falloir sortir, entrer, ressortir et mieux valait être vêtu chaudement.

— Comme on a une heure de récré, je t'offre un café ?

Rien ne pouvait me faire plus plaisir. On s'est éclipsé jusqu'au bar de l'hôtel après que j'ai expliqué à Svetlana que je devais m'entretenir avec ma consœur. Une fois de plus j'ai senti que je l'avais contrariée. Le bar était quasiment désert car pour les besoins du transport judiciaire, on avait dû exceptionnellement mettre les clients à l'écart. Dès que nous avons été seuls, elle a ironisé :

— Dis donc, c'est quoi cet « avion de chasse » qui te colle aux basques ?

— Tu parles de ma cliente ?

— De qui veux-tu que je parle ? Pas de la juge ! Celle-ci a plutôt l'air d'être une coincée. Alors que la belle, comment s'appelle-t-elle déjà, Tatiana ?

Elle avait fait exprès de se tromper de prénom et prendre un accent vaguement russe.

— Svetlana.

— C'est joli, Svetlana. Je la regardais tout à l'heure, elle te dévore des yeux.

— Je crois plutôt qu'elle est tendue et se raccroche à son avocat.

— Comme c'est touchant !

Elle me fixa, mais cette fois son regard s'était fait curieusement plus dur.

– Tu te l'es faite ?

– Tu ne vas pas recommencer !

Le barman s'était approché pour prendre notre commande et j'en étais, délicieusement, à me demander si ça n'était pas une réaction de femme jalouse, quand elle a embrayé sur un ton très professionnel :

– J'ai appris pour ta collaboratrice. Ça m'a fait de la peine, je la connaissais un peu. Ça a dû te faire un choc.

Elle me regardait, guettant visiblement ma réaction.

– C'est vrai ce qu'on dit. Que ce pourrait être un crime ? Quand je l'ai appris j'ai pensé qu'elle s'était suicidée. À cause de ce qui s'était passé.

– On ne sait pas.

J'avais menti, ne sachant si je pouvais lui faire confiance dans cette affaire où elle était le conseil de Christine Beraud. Elle ajouta toujours d'un ton très neutre.

– On dit aussi que ton assistante aurait été victime d'une agression.

– Qui dit ça ?

– La rumeur.

– Et ta cliente, qu'est-ce qu'elle dit de tout ça ?

– Christine Beraud ? Je l'ai vue juste avant de venir ici, à mon cabinet. Elle n'avait pas l'air inquiète si c'est ta question.

– Et son gendarme ?

– Lambert ? Elle n'a plus aucune nouvelle mais elle pense qu'il est loin d'ici.

– Pourquoi aurait-il disparu de la circulation ?

– Elle n'en sait rien et elle s'en fout.

À ce moment-là, un policier est entré dans le bar en m'adressant un petit signe. Je me suis excusé auprès d'Ambre et l'ai rejoint. Il m'a expliqué que le commandant Rivière, sachant que je devais participer à cette reconstitution, l'avait délégué afin de faciliter nos contacts si c'était nécessaire. Il m'a indiqué qu'apparemment « les choses ont commencé à bouger ». Je me suis aperçu que j'avais enlevé depuis un bon moment mon écouteur de l'oreille. J'ai avisé un salon apparemment désert, me suis installé dans un fauteuil, et j'ai rebranché le récepteur et l'écouteur.

## 78

J'ai très vite compris la situation. Dolorès avait été appelée et avait dû se rendre à pied à son domicile pour y récupérer sa voiture. Depuis, visiblement, son « guide » la promenait dans Lyon, sans doute pour s'assurer qu'elle n'était pas suivie. Cela faisait au moins une heure qu'elle allait d'un arrondissement à l'autre, quittait la Croix-Rousse pour rejoindre Brignais, remontait jusqu'à Écully pour revenir jusque sur les quais de Saône. J'avais du mal à comprendre la logique de ces pérégrinations. À deux ou trois reprises, « il » l'avait fait stationner dans des endroits déserts sans doute faciles à surveiller et où, peut-être, il envisageait de la rejoindre : le parking d'un Leclerc, celui du centre pénitentiaire de Corbas. Mais rien ne s'était passé. Apparemment, le maillage organisé dans Lyon fonctionnait parfaitement et les équipes d'intervention ne la quittaient pas des yeux, ce qui était plutôt rassurant. Elle venait d'aboutir à la gare de la Part-Dieu où elle s'était installée, sans doute à sa demande, au Starbucks Coffee. J'entendais les policiers se concerter, se rapprocher au maximum tout en s'inquiétant du nombre de voyageurs qui circulaient et, par instants, les empêchaient de s'assurer qu'elle était toujours là. Rien ne semblait bouger depuis une vingtaine de minutes quand j'ai vu arriver la greffière, essoufflée.

– On vous cherche partout. L'expert vient enfin d'arriver, la reconstitution va pouvoir commencer.

J'ai rejoint le gros de la troupe et aperçu un peu à l'écart, un écouteur branché dans l'oreille, le policier chargé de garder le contact avec moi. J'ai eu le temps de lui glisser que j'avais suivi l'évolution de la situation et qu'il me prévienne s'il se passait quelque chose. Puis, flanqué de Svetlana toute heureuse de m'avoir retrouvé, j'ai écouté le programme concocté par la juge d'instruction. Elle souhaitait tout d'abord que chacun regagne la chambre qu'il occupait à 23 heures quand étaient arrivés pratiquement ensemble à l'hôtel Svetlana, Louisa et Samuel Ikpebo. La juge avait prévenu qu'elle disposait d'éléments qui lui permettaient de savoir très précisément quelle était la position des uns et des autres et qu'elle souhaiterait que tout le monde dise la vérité « pour éviter de nous faire perdre notre temps. » J'ai tout de suite senti que la journaliste se sentait mal à l'aise à la suite de cet avertissement. Toute la troupe, derrière la juge, gagnait le couloir où chacun devait rejoindre la chambre qu'il occupait ce soir-là. Au moment de se positionner près de sa chambre, elle a timidement levé la main, en rougissant.

– Je voulais dire, ça n'a peut-être pas d'importance...

La juge l'a coupée sèchement.

– Madame, ici, tout a de l'importance. Qu'est-ce que vous avez à dire ?

– En fait, cette nuit-là, je n'étais pas tout le temps dans ma chambre mais aussi dans celle de Romain, mon cameraman.

Elle se crut obligée de se justifier comme une petite fille prise en flagrant délit de mensonge.

– Nous devions préparer l'émission et….

– Madame, on se moque de ce que vous faisiez dans cette chambre. Vous y êtes restée jusqu'à quelle heure ?

– Vers 2 heures du matin.

Il y eut un murmure amusé dans les rangs de ceux qui avaient entendu ses explications. S'adressant au cameraman, à l'écart, un peu gêné.

– Vous confirmez, monsieur ?

Puis aux deux, sur un ton sévère :

– C'est nouveau, ça. Vous n'en aviez rien dit. Pourquoi avoir menti ?

Et avant même qu'ils ne donnent une explication évidente, elle s'adressa à sa greffière.

– On va noter tout ça. En attendant, chacun va s'installer devant la chambre qu'il occupait et on va prendre des photos.

## 79

Les photographes de l'identité judiciaire ont immortalisé chacun des protagonistes devant sa chambre. On a ensuite chronométré, pour chacun, le temps qu'il lui aurait fallu pour se rendre dans celle de la victime située dans les annexes. Avant de s'y installer pour interroger longuement Igor Yaremchouk pour qu'il donne des explications sur la présence de son ADN tout près du corps de Nicolas Ivanovitch. Jusqu'alors, celui-ci contestait être rentré dans la chambre. Ambre s'était rapprochée et indiqua à la juge que son client avait de nouvelles déclarations à faire. Bien que comprenant et parlant un peu le français, elle souhaitait qu'on ait recours à l'interprète en langue russe. L'instant était grave. La magistrate demanda à sa greffière de venir près d'elle pour prendre précisément en note ce qu'il allait déclarer.

– Monsieur Yaremchouk. Je vous rappelle que des traces de votre ADN ont été retrouvées sur le tiroir de la table de nuit, ainsi que sur les portes des placards de rangement de la chambre de la victime. Jusqu'à ce jour, vous avez contesté y avoir pénétré. Avez-vous de nouvelles déclarations à faire ?

Ambre l'encourageait du regard et je me suis dit qu'elle avait dû l'aider à trouver une version acceptable. Il commença en français ;

– Oui, votre honneur, je vais vous dire toute la vérité.

« Sa » vérité était simple. Il avait bu cette nuit-là beaucoup de vodka et, vers 3 heures du matin, il avait décidé d'aller parler à Ivanovitch pour essayer de le convaincre de ne pas « raconter des conneries ».

– Vous connaissiez le numéro de sa chambre ?

– Non.

– Alors, comment comptiez-vous le trouver ?

– Je ne sais pas, j'avais bu.

– Alors, comment l'avez-vous trouvé ?

– Par hasard. Je ne sais pas comment je suis arrivé jusque-là. J'ai voulu prendre l'air et je me suis retrouvé devant la porte de cette chambre qui était ouverte. J'ai regardé et je l'ai vu, allongé sur son lit.

– Est-ce que vous pourriez positionner ce mannequin dans la position où il était ?

Elle fit apporter le mannequin qu'on installa selon ses instructions. Une fois qu'il eut fini, la juge, qui consultait les photos de la scène de crime, le regarda avec satisfaction.

– Banco, monsieur Yaremchouk ! C'est exactement dans cette posture qu'on l'a retrouvé. Et comme vous ne pouvez pas inventer ces détails c'est que vous êtes vraiment venu dans cette chambre et que vous y avez effectivement vu monsieur Ivanovitch mort.

Elle s'approcha, s'adressant à lui comme à un enfant :

– C'est le moment de dire toute la vérité, monsieur Yaremchouk. C'est vous qui l'avez tué ?

L'autre se recula, comme s'il venait de voir le diable.

– Non, non, je jure. Pas tué, pas tué !

– Alors expliquez-vous.

303

Il le fit. Et ce qu'il disait pouvait être vrai. Il était rentré dans la chambre, vu que c'était Ivanovitch et remarqué tout de suite les traces de sang. Il avait eu peur, n'avait pas voulu toucher le corps, mais, mauvais réflexe, entrepris de fouiller la pièce au cas où le fameux manuscrit dont il avait entendu parler y serait caché. D'où ses empreintes sur le tiroir de la table de nuit et les placards. Après quoi, il serait rentré dans sa chambre où il aurait cuvé jusqu'au matin.

## 80

Tour à tour, elle a cuisiné tous les témoins et les suspects qu'elle a regroupés dans le salon du rez-de-chaussée. J'interrogeai régulièrement du regard le policier qui me faisait signe que la situation n'évoluait pas à la Part-Dieu. Elle en vint à Svetlana qui récita comme une bonne élève ce que nous avions travaillé la veille. Alors qu'elle terminait sa déposition et que tout le monde commençait à fatiguer, quelqu'un s'est levé brusquement attirant l'attention de tous. Louisa Ikpebo, comme en transe, pointait un doigt vengeur dans sa direction :

– C'est elle ! C'est elle qui a tué son père ! Je le sais !

Le moment de stupeur passé, tout le monde s'interrogeait sur ce qu'elle avait dit. J'avais bien entendu et Svetlana aussi. Elle s'était retournée vers moi, affolée, et me suppliant du regard pour que je fasse quelque chose. Il était clair qu'il fallait réagir. J'ai crié à mon tour :

– Vous êtes folle ! Et taisez-vous, personne ne vous a donné la parole !

La juge, qui n'avait pas bien entendu ses propos, interrogeait sa greffière. Quand elle eut compris l'accusation qu'elle venait de porter, elle se tourna vers moi presque menaçante.

– C'est moi qui décide qui parle ou ne parle pas, ici. Maître, vous n'avez d'ordre à donner à personne.

Puis, beaucoup plus bienveillante à l'adresse de Louisa, que son frère tentait en vain de calmer.

– Madame, vous venez de porter une accusation extrêmement grave contre quelqu'un qui est, en plus, la fille de la victime, vous la maintenez ?

Louisa Ikpebo était secouée de tremblements.

– Cette fille est une mauvaise fille. C'est elle qui a propagé de fausses rumeurs sur mon frère et c'est elle qui a tué son père, je l'ai vue.

– Qu'est-ce que vous avez vu, madame ?

La Nigériane se calmait et je frémissais à l'idée de ce qu'elle allait pouvoir raconter.

– Je l'ai vue sortir de la chambre de son père cette nuit-là.

– Voilà encore quelque chose qui est nouveau. Expliquez-vous. D'abord, pourquoi ne pas en avoir parlé plus tôt et qu'est-ce que vous avez vu exactement ?

Elle réfléchissait intensément, sans doute consciente que le crédit que l'on allait apporter ou pas à ses déclarations serait déterminant pour la suite de la procédure.

– Je n'ai rien dit avant parce que j'avais peur qu'on m'accuse.

– Pourquoi vous aurait-on accusée ?

– Parce que j'étais à proximité de la chambre de ce salaud quand j'ai vu sa fille qui est là en sortir.

– C'était quelle heure ?

– Il devait être aux alentours de 2 heures du matin.

– Et qu'est-ce que vous faisiez là à cette heure-là à proximité de la chambre de monsieur Ivanovitch ?

– Je voulais lui parler.

La juge ricana.

– Décidément, il y a beaucoup de gens qui voulaient lui parler cette nuit-là !

Elle marqua un temps d'arrêt, redevenant plus sérieuse.

– Le problème c'est que quelqu'un est venu le tuer. Vous êtes sûr que ce n'est pas vous ?

Elle ne se démonta pas.

– Je vous dis que c'est elle.

La magistrate se retourna vers Svetlana, qui avait perdu toute prestance.

– Vous venez d'entendre ce que dit Mme Ikpebo : qu'est-ce que vous avez à répondre ?

– C'est faux.

– Qu'est-ce qui est faux ?

– Je n'ai pas tué mon père.

– Est-ce que vous lui avez rendu visite pendant la nuit ?

– C'est faux également.

– Alors pourquoi dit-elle ça ?

– Je ne sais pas mais elle ment.

– Vous n'avez pas d'autre explication ?

Svetlana avait repris de l'assurance. Elle fusilla du regard son accusatrice et asséna très froidement :

– Sans doute parce que c'est elle l'auteure du crime.

Personne n'a eu le temps de réagir. Louisa Ikpebo se rua sur Svetlana, renversant sur son passage un photographe de l'identité judiciaire, projetant la greffière au sol avec ses notes qui s'éparpillèrent et bousculant la juge d'instruction qui percuta violemment le mur. Heureusement les policiers qui encadraient les opérations de reconstitution réagirent vite et la bloquèrent au moment où elle atteignait ma cliente. Ils la plaquèrent au sol tandis qu'elle hurlait et se débattait comme une furie. Il fallut plusieurs minutes pour ramener le calme et permettre à la juge et à sa greffière de reprendre leurs esprits. Elle décida d'interrompre la reconstitution pendant une demi-heure, trois quarts d'heure pour que chacun puisse un peu récupérer après ce qui venait de se passer.

Retournant avec Svetlana vers le petit salon où je m'étais précédemment isolé, j'ai croisé Ambre qui partait dans l'autre sens avec l'escorte qui accompagnait son client. Elle m'a glissé d'un ton moqueur :

– Mon Dieu, j'ai eu trop peur pour le joli minois de ta cliente. J'ai cru qu'elle allait la défoncer.

## 81

Il m'a fallu quelques minutes pour calmer Svetlana. La convaincre de ne pas s'affoler et de maintenir la même attitude pour la suite.

La jeune femme n'était pas totalement rassurée.

– Si elle raconte cette histoire, c'est qu'elle m'a effectivement vue sortir de la chambre de mon père, car l'heure correspond bien.

– Vous êtes sûr que votre père était vivant quand vous êtes partie ?

– Évidemment. Sonné peut-être mais vivant.

– Alors c'est elle qui l'a tué.

– Comment le prouver ? Je ne peux pas raconter ce qui s'est vraiment passé sinon c'est moi qui redeviens la principale suspecte et avec ce qu'elle a dit je suis perdue.

C'était évident. Svetlana avait dû quitter la chambre et son père s'allonger sur son lit. L'autre était arrivée et l'avait poignardé à mort.

– Restez-en à ce que vous avez dit. C'est votre parole contre la sienne et puis en lui posant des questions on arrivera peut-être à la pousser à la faute. En attendant, on va commander des cafés.

Je venais à peine de me lever que le policier de liaison est entré très agité.

– Vite, connectez-vous. De l'autre côté, ça bouge.

J'ai compris que Dolorès était restée depuis maintenant près de deux heures au Starbucks Coffee sans qu'il ne se passe rien. Les équipes d'intervention étaient prêtes à se replier, tous étant convaincus que cette première « balade » avait été un tour de piste et qu'il ne se passerait plus rien. Jusqu'à ce qu'elle ait été « branchée » quelques minutes plus tôt par quelqu'un qui s'était installé à proximité. Mais ni sa morphologie, ni son aspect ne laissaient penser qu'il s'agissait de Frédéric Lambert. J'écoutais anxieusement les communications.

– La conversation a l'air de s'animer. Est-ce que vous pouvez être plus précis sur la personne avec elle ?

– Affirmatif. De là où je suis, je la vois un peu mieux.

– C'est le suspect ?

– Négatif. Je crois que c'est une femme. Attention, elles se lèvent et vont partir. Elles semblent se tenir par le bras.

– Si c'est une femme à proximité, il n'y a pas de risque.

« Pas de risque si c'est une femme », ces mots résonnaient bizarrement dans ma tête. Et tout d'un coup, j'ai eu une idée folle. Et si on s'était trompé en attendant Lambert. Je me suis précipité sur le policier pour lui demander si je pouvais joindre le commandant Rivière. Il m'a immédiatement connecté mais j'ai été vertement reçu.

– Qu'est-ce que vous venez m'emmerder au moment même où ça bouge ?

– Commandant, Christine Beraud est toujours sous surveillance ?

– Affirmatif. Pourquoi vous me demandez ça ? On a quelqu'un qui surveille en permanence son domicile à Saint-Étienne, elle n'a pas bougé de chez elle.

– Vous en êtes absolument sûr ?

– Affirmatif, je vous dis.

Tout en restant en ligne, je l'ai entendu demander à l'équipe d'intervention de se rapprocher parce que Dolorès, collée par la personne qui était près d'elle au Starbucks, se mêlait à un flux de voyageurs et qu'on risquait de les perdre. Il y eut un long silence puis ce message laconique.

– Merde. Je crois qu'on les a perdues.

## 82

Je revoyais Ambre quelques heures plus tôt au bar avec moi. Elle m'avait dit un truc qui ne présentait aucune importance pour elle et qui donc ne pouvait qu'être vrai : elle venait de rencontrer à son bureau Christine Beraud. Et donc celle-ci était bien à Lyon alors que les policiers étaient persuadés qu'elle était à son domicile à Saint-Étienne. Et si elle leur avait fait croire qu'elle y était, c'est qu'elle ne voulait pas qu'ils sachent qu'elle était à Lyon. Qu'elle avait donc à y faire quelque chose qui soudain me paraissait évident. Finir son nettoyage avec Dolorès. Plus personne n'avait vu Lambert depuis des mois, elle avait très bien pu l'éliminer après l'avoir utilisé. Je me rappelais ce que m'avait dit Rivière à propos de Claire Dalbret. Elle était rentrée à l'auberge pour demander où se situait le Belvédère et « une femme l'avait suivie ». Et si on avait eu tout faux ? On avait cherché l'ex-gendarme alors qu'il fallait chercher la femme. J'ai hurlé au commandant Rivière :

— Putain, intervenez ! C'est Christine Beraud !

— Vous êtes dingue ! Qui ?

— Christine Beraud ! Je sais que c'est elle. Ne cherchez pas à comprendre, cette dingue est en train de l'enlever pour la flinguer, vite !

Les communications sont devenues folles. J'ai réalisé qu'ils les avaient perdues puis retrouvées en direction du parking. J'ai entendu donner l'ordre d'intervention. Il y a eu une poursuite, des coups de feu. J'ai compris qu'on avait tiré sur Dolorès, puis que la suspecte était « neutralisée ». J'avais le cœur au bord de l'explosion, n'osant même pas poser de questions à Rivière qui était resté en ligne. Enfin, il s'est adressé à moi après un long moment de silence.

– Maître Lucas ? Opération réussie et vous aviez raison, c'est bien Christine Beraud. Elle a tenté de tuer votre assistante, qui n'est que légèrement blessée. Elle pourra vous parler dans quelques minutes. Nous avons dû neutraliser la suspecte.

– Elle est morte ?

– Affirmatif.

## 83

J'ai commandé un whisky et rejoint Svetlana, totalement euphorique. Finalement, la situation que nous affrontions était anecdotique par rapport à ce que je venais de vivre. J'allais sortir ma cliente de ce mauvais pas, je ne savais pas comment mais j'en étais convaincu. La greffière est réapparue, arborant un bel œuf de pigeon au-dessus de l'œil gauche. Elle nous a annoncé la reprise des hostilités dix minutes plus tard dans le salon. Mon téléphone a sonné et j'ai tout de suite reconnu la voix de Dolorès.

– Tout va bien ?

– Je crois que je l'ai échappé belle mais je suis presque indemne.

– Vous êtes blessée ?

– Une égratignure. Vous êtes au courant de ce qui s'est passé ?

– Oui, en gros. Mais j'ai eu la bonne intuition au bon moment.

– C'est dingue, je n'aurais jamais imaginé. Quand je l'ai reconnue au Starbucks, j'ai halluciné. Quand cette folle a compris que tout était fini pour elle, elle a voulu se venger et m'a tiré dessus. Mais au même moment, elle a pris une balle. Ça aurait pu être pire. Elle m'a tout raconté avant. Je vous le dirai à vous.

Elle ajouta à voix basse.

– À vous, parce que ce n'est peut-être pas indispensable que je dise tout aux flics.

– C'est ça, on triera. Vous avez une bonne voix, ça va mieux ?

– Oui, c'est la fin du cauchemar. Et vous, comment ça se passe ?

Elle retrouvait même ses réflexes professionnels.

– Compliqué.

Elle eut un petit rire.

– Je crois que je peux peut-être vous aider.

– Je crains que ce ne soit difficile.

– Pas sûr. Il me semblait quand j'ai lu votre histoire que ça me disait quelque chose. J'ai eu le temps de réfléchir avant de voir arriver l'autre cinglée. Vous vous souvenez de ma première nuit de garde à vue ?

– Très bien, hélas !

– Je vous avais dit que j'avais passé la nuit avec des Nigérianes qui se sont raconté leurs vies, persuadées que je dormais ou que je ne parlais pas anglais. Il y avait une prénommée Louisa, qui avait été chopée dans une rafle de prostituées dont sa cousine qui l'hébergeait ce jour-là. Elle leur a raconté qu'elle avait buté un type, la nuit précédente. Au couteau. Il avait fait du tort à son frère et au pays, le marabout lui avait dit que c'était un malfaisant qu'il fallait tuer pour permettre à son frère de retrouver l'usage de son genou. Elle a dit qu'elle avait eu de la chance parce que la porte de sa chambre d'hôtel était ouverte, qu'elle avait pu entrer, qu'il dormait et qu'elle l'avait saigné comme un porc. Le plus intéressant c'est ce qu'elle a fait du couteau, la preuve de son crime parce qu'il doit y avoir de son ADN partout sur le manche. Elle leur a expliqué qu'elle s'est un peu éloignée du château et qu'elle l'a planqué dans

315

une petite maison avec une tour au milieu des vignes, ça vous dit quelque chose ?

Apercevant le barman, à proximité, je lui ai tout de suite posé la question.

– Vous êtes toujours là ?

– Bien sûr. Et il y a un « pigeonnier » à quelques dizaines de mètres qui correspond en tous points à cette description. Vous êtes fantastique, Dolorès ! Reposez-vous et on se voit demain, vous me raconterez tout.

J'ai filé vers le grand salon, entraînant au passage Svetlana, qui ne comprenait rien ni à ma conversation téléphonique, ni à mon enthousiasme à replonger dans la fosse aux lions.

## 84

La juge d'instruction nous attendait de pied ferme. Les dernières déclarations de Louisa Ikpebo lui avaient fait entrevoir un coup de théâtre mémorable et elle était visiblement décidée à mettre ma cliente au tapis.

– Madame Ivanovitch, vous réfutez les accusations de Mme Ikpebo ?

– Totalement.

– Vous contestez être ressortie de votre chambre cette nuit-là et être allée rendre visite à votre père ?

– Absolument.

– Vous avez d'ailleurs déclaré que vous n'aviez eu aucun contact avec lui entre le moment où vous êtes arrivée à l'hôtel et celui de la découverte de son corps ? Vous le confirmez ?

Vu son assurance, il était clair qu'elle avait un atout dans sa manche et qu'elle allait le sortir. Je la voyais jubiler intérieurement au moment de l'abattre. Elle sortit une pièce du dossier.

– Comment expliquez-vous alors que l'examen de la téléphonie interne de l'hôtel démontre que, très peu de temps avant que Mme Ikpebo dit vous avoir vue sortir de sa chambre, vous l'ayez appelé et parlé environ une minute avec lui ?

J'étais effondré. Pourquoi avait-elle omis de me signaler ce détail capital ? Je n'osais pas la regarder, persuadé qu'elle allait partir dans des explications foireuses. Elle est restée de marbre.

– J'ai eu tort effectivement de ne pas en parler, mais j'ai pensé que ça n'avait pas une grande importance.

– Vous trouvez ? Vous pensez que ce n'est pas grave de mentir à la justice ?

Le ton était cette fois menaçant. Il fallait absolument reprendre la main et remettre Louisa Ikpebo sur le devant de la scène, la déstabiliser pour pouvoir la confondre. J'ai murmuré suffisamment fort pour que tout le monde et surtout l'intéressée l'entende :

– C'est en tout cas moins grave que, pour Mme Ikpebo, de se promener, à l'heure du crime, près de la chambre de la victime avec un couteau.

La juge s'est tournée vers moi pour m'ordonner de me taire, mais l'autre avait à nouveau explosé, m'insultant et me menaçant. J'avais obtenu ce que je voulais, c'est moi qui avais repris la direction des débats et il ne fallait plus la lâcher. Je me suis adressé à elle :

– Ça vous gêne qu'on dise la vérité Ça vous embête que tout le monde sache que vous avez poignardé un vieil homme endormi sur son lit.

La juge s'était mise à hurler ;

– Ça suffit ! Taisez-vous, maître ! De quel droit osez-vous poser des questions sans que je vous y autorise ?

Mais je n'entendais rien. Je tenais ma proie et je n'allais plus la lâcher. Louisa était dans un tel état d'hystérie qu'elle pouvait craquer à tout moment. Et mon dernier assaut a été le bon.

– Un vieil homme à qui votre frère et votre famille devaient tout.

C'en était trop pour elle. Elle s'est mise à cracher son venin.

– Un salaud au contraire ! Qui lui a volé son argent, qui nous a pris pour des pauvres nègres, qui m'a obligée à coucher avec lui…

Plus personne n'osait bouger et ma victoire devenait amère. Elle s'est mise à sangloter. Avant de déverser un dernier flot de haine :

– Il n'a eu que ce qu'il méritait, ce sale Blanc. Oui, je l'ai crevé et je suis heureuse de l'avoir fait.

Et se tournant vers Svetlana, qui était comme sidérée.

– Je regrette seulement de pas avoir fait, en plus, condamner cette salope pour sa mort. Ils auraient payé tous les deux.

## 85

La juge ne savait plus quelle contenance prendre. Quand, en prime, je lui ai conseillé de faire immédiatement perquisitionner le pigeonnier où elle retrouverait l'arme du crime avec l'ADN de Louisa Ikpebo, elle ne m'a même pas demandé d'où je tenais cette information. Les recherches se sont rapidement avérées fructueuses, et le couteau mis sous scellés pour expertise. Les aveux de la Nigériane ont été consignés, et elle a été immédiatement arrêtée. Il était très tard, ou plutôt déjà tôt et il a été décidé de s'interrompre dans l'attente d'une prochaine reconstitution au cours de laquelle Louisa Ikpebo serait appelée à refaire les gestes accomplis cette nuit-là. Je me suis rapprochée d'Ambre, dont le client allait être remis en liberté dans les heures à venir. Elle m'a regardé, admirative.

– Tu as été exceptionnel ! Quel coup de poker ! Je ne crois pas que j'aurais osé.

Elle était heureuse pour son client, dont elle avait toujours été certaine de l'innocence. Je n'ai pas eu le courage de lui raconter l'autre versant de la nuit et la mort de sa cliente Christine Beraud. On aurait bien le temps d'en reparler. J'avais presque oublié Svetlana, qui s'est collée contre moi et m'a murmuré à l'oreille :

– Jamais vu un truc pareil. J'ai eu chaud aux fesses, mais vous êtes vraiment un chef.

Tout le monde s'est salué. La seule qui, visiblement, m'en voulait alors que je lui avais résolu son problème, c'était la juge d'instruction. Elle m'a à peine serré la main. Elle ne devait pas me pardonner de lui avoir, un moment, volé son autorité, cette petite parcelle de toute-puissance qui fait des juges des êtres pas comme les autres. On a franchi la barrière des médias et j'ai renoncé à tirer gloire de ce qui s'était passé. Je ne doutais pas que demain, dans sa conférence de presse, le procureur rendrait hommage aux autorités judiciaires, à leur travail incessant de recherche de la vérité, à leur compétence qui avait, une fois de plus, abouti à l'arrestation d'un coupable.

Quelques flocons s'étaient mis à tomber, annonçant un hiver précoce, tandis que nous roulions vers Lyon. Svetlana m'a serré le bras et a murmuré :

– Cette fois, vous n'y échapperez pas. Ce soir, on dîne ensemble.

# Épilogue

## 86

Dolorès avait quitté l'hôpital et m'avait convié chez elle « pour un déjeuner frugal », me raconter ses aventures de la nuit et surtout ce qu'elle avait appris de Christine Beraud. Une fois de plus, on s'est étreint. Dolorès avait retrouvé toute son assurance. L'épreuve l'avait sans doute fait grandir. Après m'avoir encore remercié de l'avoir soutenue, protégée, « défendue », elle m'a servi un whisky et nous nous sommes installés dans les fauteuils moelleux de son salon.

– Je peux vous demander quelque chose ?

– Évidemment.

– Vous avez douté de moi ?

– Sur quel plan ?

– Vous avez pensé que j'avais pu participer à l'assassinat de mon mari ?

Je lui ai souri, sachant pertinemment que, depuis qu'elle travaillait avec moi, elle connaissait ma réponse.

– Je ne me suis jamais posé la question.

Elle a paru déçue.

– Je sais bien ce que vous pensez, professez, que la vérité n'est pas votre problème, que vous n'êtes pas là pour juger les gens que vous défendez, mais moi… nous… compte tenu de nos rapports, vous n'avez pas pu ne pas vous la poser.

– Encore moins que pour les autres, Dolorès. Vous savez bien que la première qualité pour un avocat, c'est de garder de la distance par rapport à celui ou à celle que l'on défend. Ce recul qui permet justement d'analyser les choses objectivement, sans passion.

Elle m'interrompit.

– Comment vous pouvez dire ça, alors que toute votre vie professionnelle est passion. Votre vie tout court d'ailleurs.

– Ce n'est pas la même chose. C'est Oscar Wilde qui disait que « la passion emprisonne la pensée dans un cercle ». Il avait raison. L'avocat qui perd cette distance, qui est dans la passion ne raisonne plus comme il le faudrait.

Elle prit un air désespéré.

– Vous n'avez donc aucun sentiment pour les gens que vous défendez, vous n'en avez aucun pour moi ?

– Ça n'a pas de rapport avec l'exercice de ma fonction de défense. Dès le début, pour vous, comme pour les autres, je me suis astreint à « faire l'avocat ».

– Je déteste quand vous dites ça ! « Faire l'avocat », comme on dirait « faire la pute » !

– Vous êtes bien dure. Mais, au fond, ce sont deux fonctions « sociales » ! Et puis, vous savez, quelquefois, pour obtenir ce que je veux d'un magistrat, il peut m'arriver de « faire la pute », comme vous dites. Allez, assez philosopher, racontez-moi.

Dolorès soupira, déçue de ne pas avoir pu réussir à me faire me livrer comme elle l'aurait sans doute voulu. Elle réunit ses souvenirs.

– Bon. On va passer sur la première partie de mon périple où elle, on va dire « elle », puisqu'on sait maintenant de qui il s'agit, m'a promenée dans Lyon jusqu'à la Part-Dieu. Elle m'a fait poireauter pendant ce qui m'a paru être des heures. J'ai pensé pendant un moment que tout ça avait pour but de me faire craquer, mais qu'il ne se passerait rien. C'était compliqué pour moi parce que je ne « sentais » pas les policiers et que je me demandais s'ils ne m'avaient pas « perdue ». J'ai pensé à plein de trucs de ma vie, du bureau.

Elle eut un petit rire.

– C'est là que j'ai repensé à ces Nigérianes. C'est drôle, l'esprit humain. Le mien devait être tellement affûté à cet instant qu'il a fait tout seul le lien avec votre reconstitution. J'ai failli vous appeler, me disant que si je mourais avant, j'aurais fait un truc pas mal. C'est à ce moment-là que j'ai senti sa présence. Je cherchais un homme et c'est une femme qui me matait, intensément. Je m'attendais à chaque instant à voir apparaître Frédéric Lambert, et j'ai reconnu... Christine Beraud. Elle était grimée mais j'ai immédiatement compris. Je l'ai tout de suite perçue menaçante et elle m'a d'ailleurs agressée dès qu'elle s'est approchée. Elle m'a adressé des reproches, m'accusant de ne pas avoir rempli mes engagements et de ne pas avoir récompensé comme ils le méritaient ceux qui m'avaient libérée d'un mari odieux. Elle m'a fait comprendre que si l'idée de cette entreprise avait germé dans leurs têtes c'est qu'en éliminant un nuisible et en se partageant l'argent de son assurance-vie, ils faisaient d'une pierre, deux coups. Elle pensait que j'avais beaucoup plus d'argent en Suisse et elle était décidée à m'emmener je ne sais où pour me faire signer des procurations à son bénéfice. Comme j'ai compris que je risquais de ne pas m'en sortir, je n'ai pas voulu mourir idiote et je l'ai fait parler pour comprendre ce qui s'était passé et qui était responsable de quoi. Elle a rigolé : « Tu veux tout savoir ? Je ne suis pas sûre que ça te servira à grand-chose mais voilà la vérité. Quand tu m'as "pris" Grangeon, je me suis rapprochée de Sabrina. J'ai alors rencontré Frédéric Lambert. Nous sommes devenus très proches tous les trois, très, très proches, si tu vois ce que je veux dire. Nous voulions le punir de sa trahison et toi d'en avoir été la cause. Nous avions décidé de vous buter tous les deux. On avait tout préparé. Un bel accident de voiture. Et puis, on a appris pour l'assurance-vie et on a décidé de te "récupérer", te manipuler, pour, au bout du compte te piquer tout le fric. Il a d'abord fallu le tuer. Sabrina et Frédéric s'en sont chargés. On ne pouvait pas tout te prendre d'un coup, alors on a décidé d'être patients. Mais voilà, cette petite conne de Sabrina qui, déjà, avait été négligente, s'est fait arrêter. On l'a aidée, on t'a mise à contribution, on a commencé à te taxer avec "les éléphants" et "les orphelins", mais elle s'impatientait en prison. On a compris un jour qu'elle avait fait des confidences à son ex-mari, qui avait renoué avec elle depuis qu'elle était en prison. J'ai pris la décision de l'éliminer car elle devenait dangereuse mais je me suis aperçue que Frédéric n'était pas aussi fort que je le pensais. Il a fallu que je lui fasse violence pour qu'il organise son élimination. Il a quand même retrouvé l'Albanaise détenue à Corbas et qu'il avait "traitée", alors qu'il était encore gendarme, dans une affaire de stups. Il lui a fait choisir Claire Dalbret et il a séduit l'avocate pour l'amener à lui faire passer du poison et non de la drogue comme elle le pensait. L'Albanaise a rempli son office et Sabrina est morte sans qu'on se pose trop de questions. Le problème, c'est que le nombre de témoins devenait trop important. J'ai encore réussi à convaincre Lambert d'éliminer cette fille quand elle est sortie miraculeusement de prison. Et puis l'ex-mari quand il a balancé au moyen d'une lettre anonyme.

Lambert a eu connaissance de cette dénonciation par un ex-collègue et nous avons appris que l'enquête allait être réouverte. Ce lâche voulait qu'on se casse parce que ça devenait trop dangereux. Moi, je pensais qu'il fallait aller jusqu'au bout et puisqu'il n'était pas à la hauteur de ce que j'attendais de lui, j'ai décidé d'y aller seule et d'éliminer ceux qui pouvaient remonter jusqu'à moi. Et j'ai commencé par Lambert qui ne me servait plus à rien. »

Dolorès poursuivait le récit des confidences de Christine Beraud d'un ton monocorde. J'étais fasciné par le machiavélisme et la détermination criminelle dont avait su faire preuve cette femme. Elle a repris :

– Elle m'a expliqué qu'elle l'avait tué pendant son sommeil d'un coup de barre de fer, puis qu'elle s'était débarrassé du corps en le faisant basculer dans un barrage. Restaient Claire et moi. Elle a donné un rendez-vous à Claire au belvédère du col de la Chambotte, l'a poussée dans le vide et est allée l'achever vingt-cinq mètres plus bas sur le bord de la route où elle était tombée. Elle m'a expliqué que c'était avec la même barre de fer. Quant à moi, elle a raté son coup à Jonage à cause de votre intervention. Mais elle ne désespérait pas. J'avais disparu mais elle savait bien que je réapparaîtrais un jour ou l'autre et qu'elle s'occuperait de moi. C'était chose faite. Elle m'a fait comprendre qu'elle avait préparé sa fuite et qu'après m'avoir réglé mon compte elle disparaîtrait dans la nature. Elle m'a menacée avec une arme qu'elle m'a montrée et nous sommes partis en direction de sa voiture. Au moment où on y arrivait et où j'ai pensé que tout était fini, que les policiers avaient dû perdre ma trace, ils ont surgi et tout est allé très vite. Elle a instinctivement tourné l'arme vers moi, pour me tuer. J'ai entendu simultanément deux coups de feu : l'un correspondant au tir de la balle qui m'a blessée. Le second à celle qu'elle a pris en pleine tête.

Elle se cacha le visage avec les mains.

– Voilà. C'est fini. J'ai vécu un cauchemar mais je vais pouvoir revivre. Grâce à vous.

J'ai passé le reste de l'après-midi à répondre à des journalistes qui m'interrogeaient sur la résolution de ces deux affaires, qui passionnaient déjà l'opinion publique. Je n'ai pas réussi à joindre Ambre pour échanger sur la mort de sa cliente et sur ce qu'avait pu être son rôle. J'ai rejoint Svetlana à l'Intercontinental pour honorer son invitation à dîner. Elle était magnifique : une robe noire, assez ample, presque transparente. Des talons vertigineux. Une créature de rêve, presque irréelle. Nous avons passé la soirée à flirter. Quand elle s'est levée, à la fin du repas, elle m'a tendu la clé magnétique d'une chambre. Elle s'est penchée sur moi et m'a murmuré à l'oreille :

– Viens, je t'attends. Tu ne regretteras pas la nuit qu'on va passer ensemble.

Et elle s'est éloignée d'une démarche chaloupée, sous le regard envieux des hommes présents dans la salle. Je suis resté quelques minutes encore. Enivré par l'odeur de son parfum, excité par la perspective de la rejoindre dans sa chambre.

À ce moment-là, mon téléphone a vibré pour un message. Mon cœur s'est un peu accéléré quand j'ai vu qu'il provenait d'Ambre. Elle me disait : « David, je n'ai pas réussi à te joindre aujourd'hui. Je voulais simplement encore te féliciter. Tu es un grand avocat. Je t'admire beaucoup et depuis quelques jours, je crois que c'est un peu plus que de l'admiration. Voilà. Je suis seule chez moi ce soir et si tu veux, je t'attends. »

Je me suis levé comme dans un rêve. J'ai récupéré mon vestiaire et je suis sorti.

RÉALISATION : NORD COMPO À VILLENEUVE-D'ASCQ
IMPRESSION : CPI FRANCE
DÉPÔT LÉGAL : MARS 2021. N° 146852 (3041778)
IMPRIMÉ EN FRANCE

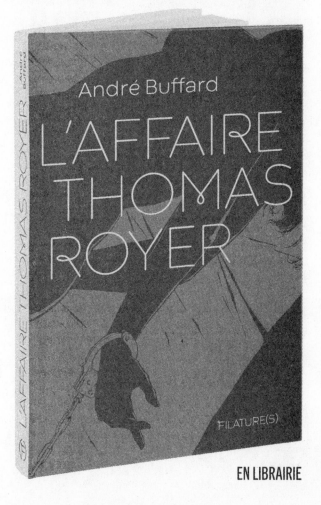